LIEFDE, LIEFDE, NOG EENS LIEFDE

Mariken Jongman

Liefde, liefde, nog eens liefde

Lemniscaat Rotterdam

Van Mariken Jongman verschenen bij Lemniscaat
De opmerkelijke observaties van Rits
Kiek
Sokkenthee en chocola

© 2012 Mariken Jongman
Omslagontwerp: Lenaleen
© Omslagbeeld: Getty Images / Nadya Lukic
Nederlandse rechten Lemniscaat b.v., Vijverlaan 48,
3062 HL Rotterdam 2012
ISBN 978 90 477 0431 7

Druk- en bindwerk: Wilco, Amersfoort

*Dit boek is gedrukt op milieuvriendelijk, chloorvrij gebleekt en
verouderingsbestendig papier en geproduceerd in de Benelux
waardoor onnodig en milieuverontreinigend transport is
vermeden.*

Dit boek gaat niet over seks. Dan is dat meteen duidelijk. Ik zeg het even, want ik weet niet wat ze op de voorkant gaan zetten. Misschien wel SEKS! SEKS! NOG EENS SEKS! omdat ze denken dat iedereen daarover wil lezen.
Dat is trouwens ook wel zo, denk ik. Ik tenminste wel.
Maar dit boek gaat er dus niet over. Het gaat over een heleboel dingen, maar niet daarover. Soms wel bijna, maar nooit helemaal.
Ziezo.

Nu zit ik te dubben waar ik het verhaal zal laten beginnen. In de tent van de Helende Heer? In het atelier met Jurg? Op Lotties slaapkamer tijdens het ondertekenen van het lintjescontract? Er is zoveel te vertellen dat het lastig is. Zodra ik wil beginnen, komt er meteen iets anders in me op wat óók verteld wil worden. En dan zijn er nog al die dingen die liever níét verteld willen worden. Alles loopt door elkaar en alles heeft met alles te maken.

Goed. Ik ga het proberen.
Het was 10 juni. Ik ging bij Lottie langs om na te praten over haar feestje. Vijftien waren we nu, zij sinds een dag, ik sinds een maand. Vijftien was al aardig oud. Wie weet wat er allemaal ging gebeuren, dit jaar van vijftien-zijn.

We lagen languit op Lotties bed. 'Kiek,' zei ze. 'Stel. We gaan dood. Wat wil jij dan per se nog gedaan hebben?'

Een halfjaar eerder was dat een gemakkelijke vraag geweest. Ik zou geantwoord hebben: ontdekken wie mijn echte vader is. Maar dat was inmiddels gelukt. 'Ik weet het niet zo gauw,' zei ik dus.

'Ik wel,' zei Lottie. 'Ik wil seks gehad hebben.'

'O ja, dat. O ja, ik ook.'

'Stel je voor dat je doodgaat en je hebt nooit seks gehad.'

'Dat is balen. En daarna komt het er waarschijnlijk niet meer van.'

We keken heftig serieus naar het plafond. Dat was de nieuwste 'wij-zijn-wij'. Grappig zijn en dan serieus kijken, alsof het helemaal niet grappig was, maar gewoon wáár.

'Maar het moet niet met zomaar iemand zijn,' zei Lottie.

'Nee, want de eerste keer onthoud je altijd.'

'Dat zeggen ze.'

'Weet jij hoe dat allemaal gaat, met seks en zo?'

'Ja hoor. Zó.' Lottie begon smak- en slurpgeluiden te maken.

'Eerst ga je zoenen,' zei ik met zwoele stem, alsof ik de voice-over was bij een seksshow.

Lottie omhelsde een denkbeeldig lichaam.

'En dan... dan gaat het vérder dan zoenen.'

Lotties handen streelden haar luchtvriendje, over zijn rug, kont, en langzaam naar de voorkant.

'En dan eh... gaat het verder dan verder.' Hoe moest je het noemen, wat Lottie deed?

Lottie hijgde, steeds dieper, intenser. Ze deed haar benen een stukje uit elkaar en trok de kont van haar luchtvriendje naar zich toe. 'Jaaaa!' riep ze en ze stootte iets denkbeeldigs in iets denkbeeldigs.

Wat voor commentaar moest ik daar in godsnaam bij geven?

'Het ding gaat in de... dinges.'

'De dinges?' Lottie keek me verbaasd aan.

In plaats van over seks gingen we nadenken over sekswoorden. We ontdekten dat er veel woorden ontbraken, als het om seks ging. Hoe noemde je een kut als je niet grof wilde zijn? 'Vagina' was veel te netjes, dat sloeg nergens op.

Het is lastig als een woord ook een scheldwoord is. Je kunt het niet meer zo gemakkelijk gebruiken voor het echte lichaamsdeel, anders is het net alsof je zomaar aan het schelden bent: wat een *kut*, zeg! Ik zie geen *kut*! Hoe zit het met jouw *kut*? *Kut*jeuk!

We moesten dus een nieuw woord maken. Dat was nog helemaal niet zo gemakkelijk. Mooie woorden genoeg, maar ze pasten meestal niet echt. 'Gemeenschapsruimte', die was het slechtst, al vonden we hem wel grappig. 'Fluutjeknip' vond ik het leukst. Dat woord had bijna gewonnen, maar toen vroeg Lottie: 'Wat voor geluid maakt het, als je *all the way*-seks hebt?'

'Ik weet niet,' antwoordde ik, 'ik denk iets als flub-flub.'

'Dan noemen we het de flupbaan.'

'Nee,' zei ik. 'Dat klinkt als een speeltuintoestel: zullen we op de flupbaan?'

'Hm... misschien klinkt het zó: zeng-zeng-zeng.'

'Of za-za-za.'

'Oké, ik heb het. Zazazorium.'

'Die is goed. Za-za-zo-ri-um.' Ik sprak het langzaam uit, mijn tong kon het woord haast proeven. Het was rond en zout en zoet tegelijk.

'Ja. Het is een soort laboratorium, maar dan voor... za-za. In een laboratorium worden dingen bij elkaar gegooid om iets nieuws te maken, met chemische reacties en zo. In het zazazorium gebeurt dat ook: eitje, zaadje, alle genen worden gehusseld. Er ontstaat iets nieuws: een baby.'

'Getver. Vieze luiers en geblèr.'

'Hm, we willen wel za-za, maar geen poe-poe en wè-wè.'

Zo. Dat was het begin.

Nu sla ik een tijdje over. In de tijd die ik oversla, gaan er dingen mis. Ik wil liever meteen naar het deel waarin het weer goed komt, in elk geval beter. Dan hoeft niemand zich zorgen te maken en blijft het leuk.

De rest komt tussendoor wel even ergens ter sprake.

We zaten met z'n allen op de poep. De reusachtige tent waarin de Heer zijn helende werk deed, stond namelijk op een hondenuitlaatveldje. Het was begin augustus en broeierig warm, zo'n twee maanden na het zazazoriumslaapkamergesprek. Ik zat op een houten klapstoeltje en keek naar dominee William K. Weil op het podium, terwijl ik heel hard probeerde om niet te denken aan alles waar ik niet aan wilde denken. Dat lukte gelukkig wel een beetje, want er was een hoop bijzonders te zien in de tent van de Helende Heer. Honderden mensen waren toegestroomd, misschien wel duizend, onder wie ik, mijn biologische vader Ron en zijn vriendin-verloofde Lies.

Het verbaasde me dat er zoveel mensen waren, en zoveel verschillende types. Waar kwamen ze allemaal vandaan? Ik zag bijvoorbeeld veel vrouwen die duidelijk van eten hielden én van strakke kleren, waardoor je hun... enthousiaste vormen heel goed kon zien.

Dominee William K. Weil deed zijn best, maar ik begreep niet veel van wat hij zei. Hij kwam uit de Verenigde Staten, ergens uit het zuiden, zo te horen aan zijn geknauw. Er stond een vertaler naast hem, maar die had zo'n raar hoofd dat ik telkens afgeleid werd als hij iets zei. Of eigenlijk: balkte, want hij leek precies op een ezel. Ron zag het ook. Lies zei dat we daar niet om mochten lachen, maar Ron en ik vonden van wel. Er is toch niks mis met ezels? Ezels zijn ontzettend leuke dieren. Veel leuker dan de vertaler trouwens, maar dat zei ik er niet bij.

Ron stootte me aan. 'Let op,' fluisterde hij. 'Zo meteen komt het, denk ik.'
'Wat?'
'Dat je naar voren kunt, om je te bekeren.'
Mooi zo. Ik kon niet wachten.

Ron had zich in dezelfde tent bekeerd, twee jaar geleden, bij dezelfde dominee William K. Weil. Ik kende Ron toen natuurlijk nog niet.
Hij had me over die bekering verteld. Hij was in die tijd totaal kapot geweest, zei hij, hij zat er helemaal doorheen. Zijn zoveelste afkickpoging was bezig te mislukken. Hij had zin om zich van de kerktoren te gooien, om overal maar vanaf te zijn. Of van het dak van het warenhuis náást de kerk, dat was gemakkelijker, dan kon je met de roltrap en hoefde je niet al die smalle traptreetjes op te klauteren. Maar

het warenhuis was minder hoog, dus of het resultaat net zo geslaagd zou zijn, daarover twijfelde hij.

We zaten bij hem thuis in de woonkamer toen hij dit vertelde. Lies bemoeide zich ermee. 'Sla dat deel maar over, Ron, dat hoeft Kiek niet allemaal zo precies te weten.'

'Ik vind het leuk... ik bedoel: interessant,' zei ik. Ik had nog nooit over zulke dingen nagedacht. Zelfs met zoiets kon je dus gemakkelijk allerlei foute beslissingen nemen. Lastig, hoor.

Het dorpje waar Ron woonde heet Doodschaap. Het is eigenlijk niet echt een dorp. Er staan maar een paar huizen, langs een weg die nergens vandaan komt en nergens naartoe gaat. Er is niets, behalve akkers en uitzicht tot aan de verre verten van nog meer niets. Ron vond het er 'puik'.

'Het is goed voor hem,' zei Lies. 'Rust. Niet te veel prikkels, zoals in de stad.'

In Doodschaap is een groeiende grasspriet al een prikkel.

Ron ging verder met zijn verhaal. Hij was toevallig – 'of niet toevallig!' – langs de tent gelopen. *De Here Heelt!* stond er, op grote posters. En opeens was het besef als de bliksem bij hem ingeslagen: 'Ik ben kapot, stuk. Als je stuk bent, moet je weer heel worden. Geheeld!' En hij liep de tent in, zomaar. En hij bekeerde zich, zomaar. En hij liet Jezus toe in zijn hart, zomaar. Vanaf toen werd alles anders.

'Niet zomaar, hoor,' zei hij. 'En ook niet meteen. Pff, echt niet. Maar er waren mensen... mensen die...'

'Mensen die wát?' vroeg ik.

'Mensen die er wáren. Zoals Lies. Dat je ineens niet meer alleen bent. Dat kende ik niet.'

'En God,' zei ik. 'Die was er dus ook.'

'Ja. Ik was dat niet gewend. Mensen bij wie je terechtkon.'

'En God dan, wat deed die precies? Of Jezus?'

'O, Jezus. Ja, woow. Alles dus.' Hij reikte naar de hand van Lies, die in de stoel naast hem zat en kon er net bij, al was zijn arm nu ongemakkelijk ver uitgerekt.

Lies knikte en glimlachte. Ze glimlachte zo hard dat het pijn aan mijn ogen deed.

Ik vond het maar vaag. Ik wist die middag zeker dat ik nóóit naar zo'n tent zou gaan.

Maar dingen kunnen veranderen. Dus.

Wanneer zou het zazazorium worden geopend?

Dat was de vraag die ons bezighield, de middag na Lotties verjaardag. Het lint moest feestelijk worden doorgeknipt vóór ons zestiende. We werden er niet jonger op, hoor. Wat moest je als ouwe taart met zo'n ondoorgeknipt lint?

'Maar te jong is ook niet goed,' zei ik. 'Je moet het écht willen.'

'Precies. Daarom deed ik het niet met Sven.'

Het niét met Sven doen leek míj nogal logisch. Sven was een tijdje haar niet-vriendje geweest. Ze deden van alles, maar hij wilde haar niet als echte vriendin. Waarom zou je met iemand naar bed gaan die jou alleen maar wil als het hem toevallig zo uitkomt? Gelukkig was ze nu totaal finaal over hem heen. Eindelijk.

'Ik vond mezelf te jong.' Lottie stak haar benen in de lucht en kneep in haar blote grote tenen. 'Dat was de reden.'

'O ja? Je bent nog steeds jong.'

'Maar niet té. Vind ik.'

'Je gaat het niet met Sven doen, hè? Toch?'

'Draai me alsjeblieft door de gehaktmolen als ik dat doe. Ik wil het met iemand die verliefd op míj is, in plaats van... nou ja, Sven.'

'Maar wanneer gebeurt dat? Dat iemand verliefd op je wordt? Het kan nog jaren duren.'

'Nee hoor. Kijk, dat boek.' Ze wees naar *Kus geen kikkers, vang je prins*, dat op het kastje naast haar bed lag. Ze had het boek gisteren van Chérise gekregen. *Tien tiptop tips om hem te krijgen... én te houden*, stond onder de titel. Een groepje kikkers keek beteuterd toe hoe een blond meisje een knappe prins kuste.

Ik had er gisteren even in gebladerd, maar geen woord gelezen. Ik was té verbijsterd dat iemand Lottie een boek met zo'n titel durfde te geven. Alsof ze dringend advies nodig had over hoe je een jongen kon HOUDEN. Dat was misschien wel zo, maar dat kon je toch niet zomaar laten blijken? Dan kon je overal de waarheid wel gaan lopen rondstrooien: ik vind je topje lelijk, Lilly; je lijkt dik in die broek, Gemma; je bent een wandelende make-updoos, Felicia; je zeurt altijd zo, Eline.

Lottie zelf leek het niet erg te vinden, ze had het boek stralend in ontvangst genomen.

'Ik heb er vanmorgen al een stuk in gelezen,' zei ze nu. 'Er staat precies in wat je moet doen. Succes verzekerd.'

'Verzekerd? Hoe kan dat nou?'

'Ik weet het niet. Het staat er. We zullen zien.'

Ik vroeg haar met wie ze het dan wilde doen, maar dat wist ze nog niet. Ze zou iemand uitzoeken, zei ze. Een geschikt iemand. Iemand die niet op Sven leek. Sven was een kikker.

'Dus,' zei Lottie. 'We spreken af dat we vóór ons zestiende... ontdingest zijn.'

Daar gingen we weer. Ontdingest, dat kon natuurlijk niet, maar 'ontmaagd' was stom en 'ontvliesd' – dat bedacht Lottie – klonk helemaal verschrikkelijk.

besekst
bezwabberd
ingepaald
beëerstekeerd
gelintjeknipt

Het was een leuke afspraak, maar ik nam hem natuurlijk niet erg serieus. Je gaat toch geen seks hebben, alleen omdat je dat hebt afgesproken met je vriendin? Ook al is het je oppertopperbeste vriendin. Maar Lottie wilde het vastleggen, in een contract.

'Wat als het niet lukt?' vroeg ik, terwijl ik het papier zwierig ondertekende met mijn pas bedachte handtekening: *Kiek Florijn*. We hadden natuurlijk tijd zat, het duurde nog bijna een jaar voordat we zestien werden. Dat was hetzelfde als eeuwen. Maar toch. 'Is er een straf?'

'We moeten zorgen dat we een reservejongen hebben. Eén die we op het laatste moment kunnen oproepen.'

'Dat moet dan wel een heel leuke reservejongen zijn.'

'Juist niet. Dat is de straf.' Ze pakte het papier en schreef er iets op, bovenaan. 'Het lintjesknipcontract,' zei ze. 'Zo heet het.'

Dat woord gaf een leuk, feestelijk gevoel. We tekenden ballonnen, vlaggetjes en slingers op het contract.

Het was benauwd en klam in de tent. Hoe langer ik daar zat, hoe erger het werd, met mijn hoofd vol kokende gedachten en opborrelende beelden.

Begon die bekering nu maar. Als ik bekeerd was, kwam alles goed. Jezus zou mij verlossen van alle vervelende dingen. Hij zou me precies vertellen hoe het allemaal moest, met liefde, met seks, met alles. Ik zou nooit meer dingen fout doen. En ik zou bidden, o ja, ik ging me suf bidden. Bidden hielp voor en tegen alles, volgens Lies. Alles waar je geen zin in had, kon je wegbidden. Nou ja, dat zei ze niet precies zo, maar daar kwam het volgens mij wel op neer.

Ik kon het beste maar bij Ron gaan wonen. Dan konden we elke dag samen bidden, bij het ontbijt, bij het avondeten en ook nog tussendoor.

Het is heel raar als andere mensen zitten te bidden en jij doet niet mee. Je krijgt lachspierzenuwtrekkingen in je buik. Je voelt je... ik weet niet. Anders. Zij doen dát en dat is raar. Jij doet dat niet en dat is níet raar. En toch voel jíj je raar.

Maar als ik bij Ron ging wonen, kreeg ik Lies er ook bij. Die zat aan Ron vastgeplakt. Niet dat dat erg was, Lies was heel aardig. Maar toch.

Ik had eerst zelf alle mogelijke oplossingen voor mijn problemen onderzocht. Ik kon er geen vinden. Toen praatte ik met Ron, want hij had veel ervaring met problemen. Natuurlijk vertelde ik niet wat er aan de hand was. Sommige dingen zijn te erg. Te groot. Te schaamtedoorweekt.

We zaten tijdens dat gesprek in de Doodschaap-woonkamer. Lies was boven, want ze was nog net niet klaar met de ramen toen ik kwam. Meestal zat ze er als een waakhond bij. Wat ze precies bewaakte wist ik niet.

Ik vroeg Ron waarom hij drugs was gaan gebruiken.

'Om allerlei redenen,' zei hij. 'Maar eigenlijk was het om niet te hoeven voelen.'

'Wat wilde je dan niet voelen?'

'Ach gewoon, je weet wel. De pijn, en zo.'

'Wat voor pijn, waar had je pijn?'

'Het probleem is: je wéét niet dat je het daarom doet, op het moment dat je het doet. Je doet het gewoon, en het is lekker. Het leven is te zwaar, je zoekt wat verlichting.'

'Verlichting? Dan ga je toch mediteren?' Ik wist alles van mediteren en dat soort dingen sinds Lotties moeder zich daarop had gestort.

Ron lachte. 'Dat is wel gezonder, ja. Maar ik bedoel dat het leven zo zwaar voelt dat je... het niet meer kunt dragen, of zo.'

'En als je dan drugs gebruikt, kun je het wel weer dragen?'

'Eh... nee, niet echt. Je voelt gewoon niets meer. De zwaarte niet. Maar ook jezelf niet. Je verdwijnt, zo voelt het. Maar daarna kom je keihard terug. En dan moet je dus wéér gebruiken.'

Het leek me geweldig om een tijdje te verdwijnen. Dat was precies wat ik nodig had. Zo ongeïnteresseerd mogelijk vroeg ik: 'Enne... gewoon voor de nieuwsgierigheid: waar haal je dat dan?'

'Wat?'

'Dat spul. Drugs, en zo.'

Ron schoot naar voren op zijn stoel, zijn vinger als een pistool op mij gericht: 'Als ik jou ooit...' Hij hield op, maar zijn gezicht maakte de rest van de zin méér dan af.

'En nu dan,' vroeg ik snel, 'nu je geen drugs meer gebruikt? Is alles weer zwaar?'

'Nee, want nu heb ik Jezus. En Lies. En een heleboel andere mensen.'

'Had je eerder geen mensen dan?'

'Ik zat in de shit. Dan ga je om met mensen die ook in de shit zitten. Soort zoekt soort. Lui waar je geen kloot aan hebt. Zij ook niet aan mij, natuurlijk.'

Het was duidelijk. Kapot zijn doet pijn. Je kunt twee dingen doen om dat op te lossen:
1. Pijn niet voelen (drugs, drank);
2. Zorgen dat het kapotte weer heel wordt (Jezus, behulpzame mensen).

De eerste oplossing zou Ron nooit goed vinden. Hij had er natuurlijk slechte ervaringen mee. Ik zou het stiekem moeten doen. Maar ik vond het juist zo leuk dat ik hem had gevonden, en dan zou het raar zijn om meteen stiekem te gaan lopen doen. Bovendien hadden drank en drugs best een hoop nadelen. Die van drank kende ik al uit eigen ervaring.

Bleef over oplossing nummer 2. Er was geen nummer 3. Ik kon tenminste geen enkele 3 verzinnen. En daarom was ik hier, in de klamme reuzentent, en stond op het punt om me te bekeren.

'Ik weet niks, ik was dronken.' Dat zei mijn moeder vroeger, als ik wilde weten wie mijn biologische vader was. Bij mijn verwekking – dat is dat het zaadje bij het eitje komt – had ze volgens haar verhaal iets staan doen met een onbekende, lelijke bassist in een donkere bezemkast. En verder had ze dus een gat in haar geheugen.

Maar het zat allemaal heel anders, ontdekte ik.

Feitenrijtje over mijn verwekking:

1. Yvonne was smoorverliefd op een knáppe bassist, Ron Bleker.
2. Ron deed nogal gemeen. Ze hadden soms iets, maar soms ook niets.
3. Yvonne werd zwanger. Ze was toen 17 (hij ongeveer 27).
4. Ron ging er gauw vandoor, want hij had het druk met andere dingen, zoals drugs gebruiken en drank drinken.
5. Yvonne kreeg een dochter, Kiki, later meestal Kiek genoemd.
6. Yvonne besloot Kiek een stapel leugens te vertellen over haar verwekking.
7. Kiek ontdekte zelf de waarheid, namelijk: zie 1 en verder.

'Mam, wil je nooit meer een vriend?' We zaten naast elkaar op de bank. Het was niet zo lang na het lintjesgesprek met Lottie. Ook al nam 90% van mij de afspraak niet serieus, die andere 10% was er toch over gaan nadenken. Mijn moeder was ongeveer de minst geschikte persoon die ik kon bedenken om over dit soort dingen te praten, maar voor ik het in de gaten had, stuurde ik het gesprek toch in die richting.
Mijn moeder schonk langzaam thee in haar glas. 'Nou, ik heb het er wel een beetje mee gehad. Weet je wat het is met mannen, Kiek?'
'Nee, dat weet ik niet.'
Ze verschoof wat en keek me indringend aan, alsof ze iets belangrijks ging onthullen. Een geheim dat al eeuwenlang van moeder op dochter ging. Ze zei: 'Als ze je nog niet hebben, doen ze heel erg hun best voor je. Maar als ze je eenmaal hebben, verliezen ze hun interesse.'
O ja? Ik wist van twee mannen in mijn moeders leven.

1. Ron. Hij had *nooit* zijn best voor haar gedaan. Zij was verliefd op hem en achtervolgde hem, van optreden naar optreden.

2. Wieger, mijn ex-stiefvader. Hij had *altijd* zijn best voor haar gedaan. Daar hield hij pas mee op toen hij er weer eens was uitgegooid, Susan tegenkwam en twee kindjes kreeg.

Dus wat bedoelde ze precies? Ik vroeg: 'Heb je het nu over Ron of over Wieger?'

Ik zag dat ze daar even op moest kauwen. Toen trok ze haar schouders omhoog en liet ze weer vallen. 'Ik heb wel meer vriendjes gehad, hoor.'

'O ja? Wie dan? Wanneer dan?'

'O, in mijn tienertijd. Een hele... paar.'

'Een helepaar?'

'Ja, een stuk of wat. Een paar.'

'Een helepaar, dus.'

Ze lachte wat ingehouden.

Ik lachte niet. Ik vond het nogal stom. 'Misschien klopt het niet wat je zegt, mam, dat van die mannen die eerst hun best doen en dan hun interesse verliezen.'

'Misschien niet. Maar zorg voor de zekerheid dat je altijd voor jezelf kunt zorgen.'

Voor mezelf zorgen? Alsof iemand anders dat zou doen. Het was nog nooit in me opgekomen dat iemand anders dat zou willen.

'Er zijn genoeg mensen bij wie het niet zo gaat,' zei ik. 'Die wél altijd geïnteresseerd blijven.'

'Wie dan?'

'Gewoon, mensen.' Wist ik veel. Ik kende niet zoveel volwassenen, niet heel goed. Of... wacht: 'Opa en oma.'

Als ik mijn hoofd van mijn nek had geschroefd en ermee

was gaan kegelen, had mijn moeder niet verbaasder kunnen kijken dan nu. Ze gooide haar hoofd achterover en stootte een paar schelle, lachachtige kreten uit. 'Opa en oma, dat is een goeie!'

Mijn moeder had niet zo'n gezellige band met haar ouders.

Ik wist zeker dat ze geen gelijk had. Toch knaagde het een beetje. Hoe zat het dan met Jurg, bijvoorbeeld? Jurg was mijn vriendje, al een paar maanden. We hadden het heel leuk. Alleen had ik niet altijd zin om met hem te zoenen. En ik hoefde hem ook niet elke dag te zien. Ik had niet eens aan hem gedacht toen ik met Lottie het lintjescontract had getekend. Misschien was ik gewoon niet zo gigantisch verliefd. Maar als ik me voorstelde dat ik het uitmaakte, of hij, dan voelde dat klote.

Het zou nog wel komen, het meergevoel. Ik bedoel dat gevoel dat je méér voelt.

De reli-band begon te spelen. Dominee William K. Weil pakte een stoel, ging zitten en veegde met een zakdoek het zweet van zijn voorhoofd. Mensen om ons heen pakten hun blaadje met de teksten, om mee te zingen.

Ik keek opzij naar Ron. Wanneer begint die bekering nu eindelijk? vroeg ik, zonder woorden.

Ik weet het niet, antwoordde hij, ook zonder woorden. Geduld, het komt vanzelf. De zaal moet even in de juiste stemming komen en dan gaan we lekker los.

Nou ja, dat laatste verzon ik zelf, dat hij dat zei. Maar het klopte vast ongeveer met wat hij gezegd zou hebben, als we met echte woorden hadden gepraat.

Langs Ron keek ik naar Lies, die rechts van hem zat. Ze had

haar ogen dicht, zong en deinde met de muziek mee, met haar hand omhoog. Ik zag dat de meeste mensen hun hand in de lucht hielden, met de palm naar voren, een beetje zoals een agent die een stopteken geeft. Maar het was niet bedoeld als stopteken en de band speelde dus door.

Ik juich ik juich, voor U, mijn Heer
U wast mij leeg en rein
U vult mijn hart met licht, mijn Heer
'k Wil eeuwig bij U zijn

Dat zongen ze. Ik niet, hooguit kwam er voor de show wat ge-meemurmel uit mijn mond. Ik voelde me niet erg in een zing-, juich- en jubelstemming. Mijn broek plakte aan de houten stoel. Op de maat van de muziek wipte ik van bil naar bil, om mijn kont wat ademruimte te geven. Daardoor leek het toch alsof ik leuk meedeed.

U houdt mij innig vast, mijn Heer
U neemt mijn zonden weg
Ik buig mij vol aanbidding neer
We doen zakdoekjeleg

Die laatste zin zongen ze natuurlijk niet, maar ik weet hem niet meer, dus ik verzin maar even wat, anders is het zo onaf.

Mijn moeder vond het maar niks, dat ik 'zo vaak' naar Ron ging. Ze was erop tégen, dat zei ze. Tegelijkertijd wilde ze, zodra ik terug was, altijd alles weten: wat hij zei, wat hij deed, hoe hij eruitzag, hoe hij tegen Lies deed, hoe zíj eruit-zag, enzovoort.

Ze kon maar niet geloven dat hij clean was, dus geen drank en drugs meer gebruikte. 'Ik moet het nog zien,' zei ze.

'Nou, zoek hem dan een keer op, dan kun je het zien.'

Een spottende gromgrijns was het antwoord. Die betekende: nooit, nooit, nooit.

Ze kon hem niet vergeven. Wát er precies vergeven moest worden, wilde ze niet zeggen. Het was in elk geval niet al-leen maar dat hij was weggelopen, toen ze zwanger was. 'Als dat alles was...' zei ze. Bovendien wist hij niet eens dat ze zwanger was. Hij dacht dat ze abortus had laten plegen.

Ze kon niet geloven dat hij nu God had. 'Dat is zó niet... niet-hij.'

Maar dat hij verloofd was vond ze wel het allerraarst. 'Ver-loofd. Dat is dat je van plan bent te trouwen. Tróúwen.'

Ik snapte niet waarom dat nou zo raar was. Mensen zijn toch wel vaker van plan om te trouwen? Sommige tenmin-ste, ik kende er niet zoveel.

'Waarom gaan mensen eigenlijk trouwen?' vroeg ik.

'Dat moet je aan hem vragen. Ik weet het niet.'

'Misschien omdat ze van elkaar houden.'

'Dat kun je ook doen zonder trouwen.'

'Misschien doen ze het voor het feest.'

'Ja, dan kan hij zich lekker bezatten.'

Ik bedoelde mensen in het algemeen, niet Ron. Maar ik liet het zitten. Mijn moeder had last van een wc-rol-kijk als het om Ron ging, dat was me vaker opgevallen. Ze zag dan al-leen maar hém, en alles wat ze van hem vond. De rest van de wereld werd afgedekt door grijs karton.

Mijn moeder en ik waren aan het shoppen. Tot mijn stomme verbazing had ik deze vakantie ontdekt dat dat best gezellig was, met haar. Ik denk dat shoppen de enige bezigheid was die we allebei leuk vonden. We hadden wel een andere smaak, anders had het natuurlijk niet gekund. Stel je voor dat we dezelfde kleren wilden hebben!

We liepen de boekwinkel in, want ze moest een cadeau kopen voor een vriendin.

'Moet je kijken!' Mijn moeder wees naar grote stapels paars-met-roze boeken op een tafel. '*Kus geen kikkers, vang je prins*,' las ze voor. '*Tien tiptop tips om hem te krijgen... én te houden!* Tss, dat verkoopt waarschijnlijk als een tierelier.'

'Vast,' zei ik. 'Lottie heeft het ook.'

'Jij krijgt het niet, hoor,' zei mijn moeder. 'Ik haat zulke boekjes.'

'Pff, ik wil het niet eens.' Ik pakte een exemplaar van de stapel en sloeg het open. 'Tip vijf,' las ik. 'Trek een pruillip als hij in de buurt is.' Jemig, wat was dat voor onzin?

'Hé, Kiek!'

Ik keek om en zag een jongen tussen de boekentafels door onze kant op komen. Stoffel!

Stoffel was een van de vijf bassisten die ik had geïnterviewd, maanden geleden. Ik maakte toen een portret van mijn vader. Dat was dus vóórdat ik wist wie mijn echte vader was. Ik wist alleen maar dat hij bassist was, dus ik stelde een portret samen uit verschillende bassisten-onderdelen, eigenlijk net zoals Victor Frankenstein zijn monster had gemaakt. Van Stoffel had ik zijn haar gebruikt. Of liever: Lottie had dat gedaan, want zij had het portret getekend. Het hing nog steeds in een lijstje boven mijn bed, ook al kende ik nu mijn echte vader.

Stoffel was ergens begin twintig en zag er heel tof uit. Knap zelfs. En hij was heel aardig, dat ook nog. Zijn haar was wat langer nu.

Hij lachte stralend naar me. 'Hoe is het afgelopen met je, stuk?'

Woesj, het bloed spoot naar mijn wangen. Snel keek ik naar de grond, zodat mijn haar voor mijn gezicht viel. 'Stuk', zei hij. Zomaar! Ik kon niet meer ademhalen, laat staan een woord uitbrengen. Dat iemand dat zomaar zei! Zo gewóón, zo... zo –'

'Welk stuk?' hoorde ik mijn moeder vragen.

'O, iets voor school. Kiek heeft mij geïnterviewd. Voor de schoolkrant toch, Kiek?'

Het duurde een tijd voordat mijn hersens hadden verwerkt wat er net was gebeurd. Loeistrak bleef ik naar de vloer kijken.

Grijs-met-rood-gespikkeld tapijt.

Hij had níét gezegd dat hij mij een stuk vond.

Grijs-met-rood-gespikkeld tapijt.

Er stond géén komma in zijn zin, voor 'stuk'.

Grijs-met-rood-gespikkeld tapijt.

Hij had gevraagd hoe het met 'mijn stuk' was afgelopen, het krantenartikel.

Gewóón doen. Er was niets gebeurd. Opkijken en glimlachen.

Ik keek op en glimlachte. 'Hartstikke goed,' antwoordde ik. 'Ik had een 8½.'

Ik had tegen hem en de andere bassisten gezegd dat het voor een schoolopdracht was. En dat was niet eens gelogen. We moesten een soort krantenartikel maken voor Nederlands, over iemand met een beroep dat we interessant vonden.

Maar als dat níét waar was geweest, had ik het verzonnen. Je gaat natuurlijk niet zeggen dat je een vader wilt samenstellen. Mensen hoeven niet te denken dat je zwaar debiel bent.

'Een 8½, cool! Hé, ik ben Stoffel.' Hij gaf mijn moeder een hand.

'Yvonne.'

Gekke gewoonte eigenlijk, dat handen schudden. Dat vastpakken snap ik nog, maar dat op en neer bewegen, waar is dat goed voor? Misschien is het bedacht omdat je dan tenminste iets te doen hebt, in plaats van daar bewegingloos te staan.

'Goed boek?' Stoffel had mijn moeder losgelaten en pakte het boek uit mijn handen. 'Kus geen kikkers, vang je prins,' las hij voor.

Toen pas besefte ik dat ik nog steeds met dat boek in mijn hand had gestaan.

Woesj. Je gezicht kan blijkbaar binnen één minuut twee keer vollopen met bloed. Ik wilde weghollen, want het was te erg. Ik wilde ook blijven staan, want dan leek het alsof er niets aan de hand was. Het was een verscheurend gevoel.

En net toen ik op mijn allerverlamdst aan het wegrennen en staan blijven tegelijk was, deed mijn moeder iets wat ik nooit, nóóit van haar had verwacht. Mijn moeder, die nog nooit één bonuspunt had gekregen, verdiende nu een hele zak tegelijk. De rest van haar leven kon ze de punten blijven inruilen tegen dankbare diensten van mij.

Rustig trok ze het boek uit Stoffels hand en legde het terug op de stapel. 'We zoeken een cadeautje, voor een vriendin. Maar we vinden dit een slecht boek. En jij? Ben jij ergens naar op zoek?'

De wereld, die net nog verschrompeld was tot een rozijn, kreeg weer lucht ingepompt, zette uit en groeide langzaam tot zijn normale omvang. Ik kon er weer rondlopen en ademhalen, springen zelfs, als ik dat had gewild.

Dat wilde ik natuurlijk niet. Ik trok een geïnteresseerd gezicht en keek naar het gesprek tussen Stoffel en mijn moeder. Geen idee waar het over ging, want ik hoorde niets. Ik kon op dat moment maar één ding tegelijk, en kijken ging gemakkelijker dan luisteren. Er vloog van alles door mijn hoofd en lichaam. Ik denk dat mensen zich zo voelen wanneer ze net voor een denderende kudde olifanten zijn weggetrokken, of bij een haai, vlak voordat deze zijn tanden in hun been wilde zetten.

Plotseling keek Stoffel me aan. Zijn lippen bewogen, maar ik zag niet wat hij zei, want hij pakte me op, droeg me naar buiten en wierp me op zijn glanzend zwarte paard. We galoppeerden richting zonsondergang, en verder en verder, manen en haren wapperend in de wind, tot aan het tropische strand, waar we in de branding –

'Ga je mee, Kiek?' Aan de stand van Stoffels wenkbrauwen te zien was het minstens de tweede keer dat hij het vroeg.

'Ja.'

Geen idee waar we heen gingen. Ik liep naast mijn moeder achter hem aan, de winkel uit.

Ron stootte me zachtjes aan. 'Dit nummer heb ik geschreven,' zei hij in mijn oor. 'Met Lies.'

Ik luisterde. Nou ja, dat probeerde ik. Ik kon mijn aandacht er niet goed bij houden, want het was nogal saai. Het ging over de Here Jezus, dat begreep ik. Iets over macht en kracht en bloed en lam.

Natuurlijk gaat het over 'lam', hoorde ik mijn moeders stem in mijn hoofd. *Elke gelegenheid die hij kan vinden, grijpt hij aan om zich lam te zuipen.* Doe niet zo stom, zei ik. *Het gaat over een heel ander soort lam. Wegwezen, jij.*

Ik had he-le-maal geen zin in mijn moeder. Echt iets voor haar om zich er toch nog mee te bemoeien, al was ze er niet, ook al wist ze niet eens dat ik hier was.

'Leuk,' zei ik tegen Ron. 'Maar ik snap het niet helemaal. Dat lam bijvoorbeeld. Hoezo lam, wat voor lam?'

Hij lachte naar me en legde zijn wijsvinger even tegen zijn lippen.

Volgens mij konden Ron en ik samen veel toffere liedjes maken. Met Lies werd alles zo... ik weet niet, serieus of zo. Als ik straks bekeerd was, mocht ik ook over God en Jezus schrijven en dan zou iedereen eens wat beleven. Ik durfde te wedden dat de nummers een stuk interessanter en grappiger zouden worden. Niet meer zo volgestouwd met saaie woorden. Terwijl de muziek wél heel mooi was, dat hoorde ik meteen. Aan de muziek lag het niet.

Het nummer was afgelopen. De zanger-gitarist zette zijn gitaar op de standaard. Dominee Weil stond op.

Ron draaide zich naar mij toe. Zijn mond ging open, waarschijnlijk wilde hij 'het begint' zeggen, maar ik was hem voor. 'Het begint, het begint.' Ik had zin om hem in zijn arm te knijpen, maar ik deed het niet. Ron was niet zo lichamelijk ingesteld. Hij zou er vast van schrikken.

'There was this woman...' riep dominee Weil in zijn microfoon. 'Er was een vrouw,' vertaalde de ezelman. 'Zij moest op dinsdag een hartoperatie ondergaan. Het weekend daarvóór kwam ze bij ons in de tent, en ze kwam naar voren. Ze kwam en ze zei: "Ik heb een gebroken hart." We gingen samen bidden. Dinsdag ging ze naar het ziekenhuis. De dokters konden niets meer vinden. Weg hartprobleem!'

Weg hartprobleem! Zie je wel, deze bekering was precies wat ik nodig had. Ik had zin om op te staan en door de tent te roepen: 'Ik ben Kiek! Ik bekeer me! Alles komt goed!'

Doe niet zo raar, Kiek. Nee hè, daar was mijn moeder weer. *Je gelooft niet eens in God. Het slaat nergens op.*

Heus wel! antwoordde ik. *Wat weet jij er nu van? Pff, alsof jij verstand hebt van gebroken harten. Of van liefde. Of van God. Of van mij.*

De dominee en de ezelman onderbraken ons gesprek. We moesten ons hoofd buigen. Dat deed ik, met mijn protesterende moeder en al erin.

'Zoek in jezelf!' riep de ezelman. 'Als je gered wilt worden, als je jezelf aan Jezus wilt geven, kom dan naar voren.'

Ik hief mijn hoofd een klein stukje op en keek door mijn wimpers. Vlak voor mij stond iemand op.

'Jahaah, daar wil iemand gered worden en daar... en daar!' Her en der liepen mensen naar voren. Ik deed mijn ogen helemaal open en zag dat andere mensen ook niet meer gebogen zaten.

Was dit écht een goed idee? Was bekering écht het antwoord op alles? Ging Jezus écht mijn leven ontpuinhopen? Bah, dat had ik weer. Nu het moment was aangebroken, twijfelde ik ineens. Het was mijn moeders schuld. Dit ook al. Natuurlijk, wat was níét haar schuld?

Ze hoefde niet eens aanwezig te zijn om de dingen voor me te verpesten.

Lies boog zich naar me toe, voor Ron langs: 'Kiek, zo meteen gaan zij God aannemen, en dan gaan we met z'n allen bidden. Als je het ook wilt, moet je nú opstaan. Als het bidden eenmaal is begonnen, is het te laat.'

Ik liet dit niet door mijn moeder verklotestieren, no way. Vanaf nu nam ik mijn leven in eigen hand! O nee, ik gaf het aan Jezus. Nou ja, deed er niet toe. Het ging erom dat ik mijn eigen beslissingen nam, dat IK deed wat IK wilde. En DIT was wat IK wilde.

Ik stond op, één brok vastberadenheid. Er gleed een hand om de mijne. Het was Ron. Hij kneep zachtjes en liet toen weer los. Een seconde raakten onze blikken elkaar. Als ik nog twijfel had gehad, was die nu alsnog weggesmolten.

Ik wurmde me langs de rij zittende mensen en liep zelfverzekerd naar voren. Wat was het gemakkelijk en fijn, naar voren lopen, als je de steun in je rug voelde.

Het was een waanzinnig leuk terrasje. Stoffel, ik en mijn moeder zaten rond een klein metalen tafeltje, op sierlijke metalen stoeltjes. Het terras was op een binnenplaats, er stonden bomen, en boven onze hoofden groeide een plant langs een bouwwerk van latjes, waardoor we onder een knus bladerafdak zaten.

'Dit is een van mijn favoriete plekjes,' zei Stoffel. 'Romantisch hè, Kiek?' Hij keek me aan en lachte. Ik werd wobbelig in mijn buik. Wobbelig is helemaal geen bestaand woord, en toch werd ik het.

'Mooi hoor,' zei mijn moeder. 'Moet je dat vriendje van je eens mee naartoe nemen, Kiek.'

En weg was de zak met bonuspunten weer. Echt iets voor haar, om de hele zak in één klap te verspelen.

'O, dus je hebt een vriendje,' zei Stoffel. Klonk hij teleurgesteld of was dat verbeelding?

'O, nnnjoah,' zei ik.

'Njoah, is dat njoah-nee of njoah-ja?'

'Hoezo?' vroeg mijn moeder. 'Ja, toch? Jurg, heet hij. De bassist.'

'Het is niet echt super-*super*-aan, of zo,' zei ik. 'Gewoon.'

'Je hebt iets met een bassist?' vroeg Stoffel. En tegen mijn moeder: 'Ik ben ook bassist.'

Hij merkte het natuurlijk niet, maar ik wel, want ik kende haar: ze verstrakte. 'Zo,' zei ze. 'De wereld zit er maar vol mee. Dus.'

'We hebben niet écht dat je zegt... Nou ja, ik weet niet.' Ik verschoof wat op mijn metalen stoel.

'Kiek interviewde bassisten,' ging Stoffel verder. 'Daar ken ik haar van. Ik dacht dat je dat wel wist.'

'O, Kiek vertelt mij meestal niet zoveel.'

'Misschien is het wel afgelopen, hoor.' Ik drumde met twee vingers op de tafel, om te benadrukken dat het belangrijk was wat ik zei, ondanks mijn nonchalante houding. 'Voor zover het iets was.'

'Het was voor iets van school,' zei Stoffel. 'Die 8½. Dat vertelde ze net.'

'We zijn meer gewoon vrienden, denk ik. Vriendschap, dat is het.' Ik trommelde harder bij de woorden vrienden en vriendschap.

'Nou, dan moet jij het maar doen, Yvonne.' Stoffel keek naar mijn moeder.

'Wat?'

'Je geliefde hier mee naartoe nemen. Kiek heeft niet écht verkering, zegt ze, en ik al helemaal niet.'

Het werd nog wobbeliger in mijn buik.

'Je kunt hier toch ook leuk zitten zonder dat je verliefd bent?' antwoordde mijn moeder. 'Wij zitten hier toch ook leuk?'

'Ja, maar stel je eens voor,' zei Stoffel. 'Hier... en dan...'

Ik stelde me het voor. Alle dingen die hij niet zei.

'Als ik ooit weer zin krijg in de liefde, zal ik aan dit plekje denken.' Mijn moeder wenkte de ober.

We bestelden koffie en sinas. Ik had al snel spijt van die sinas. Van prik moest ik altijd boeren. Waarom bestelde ik het dan? Boeren was leuk, maar er waren ook momenten dat het niet leuk was.

Er piepte een bericht binnen. Lottie. `Wat doe je? Kom je nog?`

Ik typte terug: `Zit op terras met stoffel. Je weet wel, bassist, kapsel, vaderportret.`

Lottie: `Wooow! Die leukerd! Inpakken en meenemen!`

Ik: `Naar jou zeker!`

Lottie: `Haha, mag ook. Nee, naar jezelf. Denk aan contract.`

Ik dacht aan het contract. Het leek me ineens een heel normale en gezonde afspraak. Wie wil er nu zestien worden zonder dat het zazazorium-openingsfeest heeft plaatsgevonden?

'Dus. Komen jullie?' vroeg Stoffel. 'Vanavond? Of morgenmiddag, dat kan dus ook.'

Hè, watwatwat? Ik had iets gemist! 'Waarnaartoe?' vroeg ik.

'De Balk. Daar speel ik vanavond. En morgen in –'

'Dat café ken ik!' Ik was er een paar maanden eerder geweest om informatie over Ron Bleker te krijgen, toen ik zijn naam eindelijk wist.

'Nou, ik weet niet,' zei mijn moeder. 'Ik denk het niet.'

'O, geeft niet, ik neem Lottie wel mee,' zei ik.

Ik zag twijfel op mijn moeders gezicht. Het beviel haar niet, maar wat kon ze doen? De vervelende zeurmoeder uithangen, waar Stoffel bij was? Natuurlijk wilde ze het verbieden, zo was ze, maar ja, hoe lang kon ze dat nog volhouden? Ik was vijftien. Ik kende meisjes van vijftien die al zo'n beetje de hele nacht doorfeestten in het weekend.

Wat ze dus had moeten doen, was zeggen: Ja, natuurlijk lieve schat, ga maar met Lottie. Geen probleem. Ik ben zelf veel te oud voor dat soort dingen.

Maar blijkbaar wilde ze de hippe, toffe moeder uithangen, die ook van uitgaan hield. Ze tuurde nadenkend de lucht in en zei toen: 'Goed dan, we komen. Morgenmiddag. Waar speel je dan?'

'Café Vink.'

We. Bah.

Daar stond ik, als gewillige leerlingbekeerling.

Onthouden dat woord, dacht ik, mooi voor in een liedje. Er stonden zo'n 25 mensen voor het God-podium. Ik was niet de enige die het warm had, dat was te zien én te ruiken.

Helemaal klaar was ik. Des te vervelender dus dat er niets gebeurde. We stonden daar maar te staan, minutenlang, wel vijf, zes, zeven. Minuten duren heel lang, als je wacht op je bekering. Af en toe kwamen er nog nieuwe mensen bij ons staan. Die hadden waarschijnlijk ook een twijfelmoment gehad, maar dan veel langer dan ik. Misschien hadden zij ook een lastig persoon in hun hoofd zitten die hen probeerde over te halen om het niet te doen, ook al was het duidelijk het beste wat ze konden doen.

Niemand liep trouwens terug, van de bekeringsplek naar zijn stoel. Dat had ook nog gekund. Misschien kwam dat omdat niemand meer twijfelde nu hij of zij hier eenmaal stond. Maar het kon ook dat mensen bang waren dat ze opgepakt zouden worden door de wachters, en teruggestuurd. De wachters heetten niet echt wachters geloof ik, maar ze zagen er wel zo uit. Ze stonden twee aan twee in alle gangpaden. Ze droegen allemaal een net pak: jasje, dasje, broek met vouw. Het gekke was dat geen van hen een pak aanhad dat echt paste. Het was meestal iets te groot, soms te klein. Alsof ze het allemaal in de uitverkoop hadden gekocht, en hun maat er niet meer bij was. Waarom ruilden ze dan niet met elkaar? Of zou het iets van gelovige mensen zijn, dat je geen goedzittend pak mag dragen? Misschien vinden ze dat uiterlijk er niet toe doet. Misschien moet je zo lelijk mogelijk zijn.

Ik vermoedde dat dat laatste zo was. De wachters hadden allemaal gezichten en kapsels die je niet verwacht bij nette pakken. Ik had ze eerder al een tijdje goed bekeken, maar kon niet ontdekken waar het precies aan lag. De meeste waren nog jong, in de twintig denk ik, en hadden een bleke huid, met vlekken of puisten of allebei, en slap haar. Gek hoor. Hoe kon dat? Misschien hadden mensen met een slechte huid meer behoefte aan een geloof. Een andere reden kon ik niet bedenken.

Ik keek naar Ron en Lies, tussen de mensen door kon ik ze precies zien zitten. Ze lachten breeduit naar me, alsof ik hun kind was dat net dapper in het diepe was gesprongen en straks haar zwemdiploma kreeg.

Zou het waar zijn? Dat je alle vervelende dingen van je af kon wassen? Dat je alles wat je niet wilde hebben aan Jezus kon geven? Volgens Ron en Lies kon het. Volgens de mensen op het podium ook.

Dat was fijn. En gemakkelijk. *Hier, meneer Jezus, hier hebt u al mijn stomme blunders, vreselijke fouten, ellendige problemen, de hele shit.*

Wat zou hij ermee doen? Zou hij alles bewaren, van iedereen? Of zou hij de boel in de probleemversnipperaar duwen? Maar waarom stopte hij dan bijvoorbeeld alle honger en oorlog ook niet even in de versnipperaar?

Hm. Waarom eigenlijk niet?

Misschien had hij het te druk met hier in de tent rondhangen. Hij kon natuurlijk niet in deze tent zijn én in alle oorlogsgebieden én overal waar rampen waren en andere ellende.

Weg nu met die gedachten. Mijn problemen zouden verdwijnen, daar ging het om. Bij Ron had het gewerkt, de bekering, bij mij ging het ook werken. Laat al die arme niet-bekeerden op de wereld maar twijfelen, blunderen en ongelukkig zijn.

Een groepje wachters liep op ons af. Ha. Er ging iets gebeuren.

'Het had veel erger gekund,' zei Lottie tegen me. We zaten in haar woonkamer, want haar moeder was er niet. Ik was na het romantische terras naar haar huis gefietst en had haar alles verteld.

'O ja? Hoe dan?' Ik baalde nog steeds dat mijn moeder mee-ging naar Stoffels optreden.

'Nou, stel dat ze vanávond met jou naar De Balk had ge-wild. Met je moeder uit, op vrijdagavond! Op zaterdagmid-dag is een stuk minder erg.'

Dat was waar.

'Wíj kunnen toch gaan, vanavond?' zei Lottie. 'Zonder je moeder.'

'Nee, natuurlijk niet! Dan valt het hartstikke op.'

'Wat valt op?'

'Dat ik speciaal voor hem kom. Anders ga je toch niet twee keer?'

'Je hebt gelijk. Dat mag hij niet weten.' Lottie begon uit te leggen hoe je volgens *De kikker*, zoals ze het boek nu noemde, een jongen nooit moest laten blijken dat je achter hem aan zat. Je moest zorgen dat hij achter jóu aan ging zit-ten.

'Maar hoe doe je dat dan?'

'Weet je nog dat ik Sven een keer een tijd negeerde en dat hij toen opeens naar me toe kwam om praatjes te maken?'

Dat wist ik nog héél goed. Het had me gigantisch verbaasd.

'Hm. Dus als je aandacht van een jongen wil, moet je hem negeren? Maar hoe weet hij dan dat je hem leuk vindt?'

'Dat moet hij niet weten. Hij moet jóu eerst leuk gaan vin-den.'

'Maar hoe doe je dat?'

'Bijvoorbeeld: als hij contact zoekt, moet je niet meteen rea-geren.'

'Maar hoe zorg je dat hij contact zoekt?'

Lottie dacht na. 'Dat is waarschijnlijk het moeilijkste ge-deelte. Dat staat niet in het boek.'

'Als wij nu uitvinden hoe je dat doet, kunnen we zelf een boek schrijven.'

'Dan worden we rijk! We verkopen miljoenen boeken.'

'Of we houden het juist geheim.'

'Waarom?'

'Nou, als alle meisjes weten hoe je dat doet, kunnen ze elke jongen krijgen. Dan pikken ze misschien de jongens in die wíj willen.'

'Nee hoor, want wij zijn altijd het leukst.'

'Dat is zo.' Er kronkelde iets warms vanuit mijn tenen naar boven, want ineens stond het spijkervast dat Stofje en ik een zaak zouden worden. Een liefdeszaak.

We fietsten naar mijn huis, want Lottie zou bij mij eten en slapen. Ze nam *De kikker* mee, zodat ze me kon voorlezen, in bed. Ik geloofde niet echt in een boek dat je vertelde hoe je een jongen kon hebben-en-houwen, maar aan de andere kant: het kon vast geen kwaad om wat tips te krijgen.

Lottie sliep vaak bij mij, de laatste tijd. Haar vader was weg, verhuisd. En haar moeder was ook veel weg. Zij was een tijd geleden bij iemand geweest, zo iemand die met geesten praat, en die persoon had gezegd dat Lotties moeder heel gevoelig was, en óók aanleg had om met geesten te praten. Paranormaal begaafd, heet dat. Nu was haar moeder die begaafdheid aan het ontwikkelen. Daarvoor moest ze vaak naar bijeenkomsten van een soort geestengroepje. Ik snapte het niet zo goed. Ik bedoel: waarom zou je met dode mensen willen praten? Kun je niet beter met levende praten?

Lottie wilde niet zo vaak naar haar vader toe, want die

woonde nu al samen met zijn nieuwe vriendin. Eigenlijk was het zijn oude vriendin, ze kenden elkaar al lang. Lotties vader had een relatie met die vrouw gehad voor ze hier kwamen wonen. Haar moeder was er toen achter gekomen en wilde dat hij koos tussen haar en die andere vrouw. Hij koos voor Lotties moeder. 100%, zei hij erbij. Maar zij vertrouwde het niet en zorgde dat ze gingen verhuizen, naar de andere kant van het land. Hun twee oudste dochters waren toch al min of meer het huis uit, alleen voor Lottie was zo'n verhuizing natuurlijk vervelend. Maar wat bleek: voor Lottie was het helemaal niet vervelend, want dankzij die verhuizing ontmoette ze mij!

Eigenlijk heb ik dus een beste vriendin omdat Lotties vader vreemdging. Daar hebben we een keer heel hard om gelachen: 'Zie je wel, vreemdgaan is goed!'

'Er moet meer vreemdgegaan worden!'

'Als iedereen vreemdgaat, komt het goed met de wereld!'

We verzonnen een spreuk voor op een tegeltje aan de wand: 'Al is het allemaal nog zo klote, kijk naar het goeds dat eruit komt gesproten.'

We bedachten dat we later samen een tegeltjesbedrijf zouden beginnen, en we zouden steenrijk worden, vanwege de goede teksten.

'Lezen maar,' zei ik, toen we in bed lagen. Ik in mijn eigen bed, Lottie op een matrasje op de grond. 'Maar sla die pruillip alsjeblieft over, dat slaat nergens op. Tip vijf was dat, geloof ik.'

'Hm, wacht maar af,' klonk het van onderen. 'Hannelore heeft er echt verstand van.'

'Hannelore?'

'Hannelore Engelbert, de schrijfster.'

'Dat klinkt wel als iemand die er verstand van heeft.'

'Ja, stel dat ze Miep Muts heette. Dan geloofde ik er niks van.'

'Of Wanda Wafelmans.'

'Wie gelooft Wanda Wafelmans, als die iets zegt?'

De wachters deelden kaartjes uit. Daarop moesten we onze naam en ons adres schrijven. Het was heel belangrijk dat we dat kaartje goed en duidelijk invulden, zei de ezelman door de microfoon. Hij vertelde er niet bij waarom dat zo belangrijk was.

Wat moest ik doen? Ik kon niet mijn eigen adres opschrijven, stel dat er wachters aan de deur zouden komen, om me op te halen. Dan zou mijn moeder ontdekken dat ik hier was geweest. Ik kon natuurlijk Rons adres opgeven, maar dan zouden ze me nog steeds weten te vinden. Nee, ik kon voor de zekerheid beter een andere naam opgeven. Welke, in godsnaam? Aha. Wanda Wafelmans. Nu nog een goed nep-adres... Zazazoriumstraat 35.

Nu maar hopen dat de wachters niet hadden gezien hoe lang ik over dat invullen had gedaan. Meestal wist je je eigen adres wel snel.

Ik gaf mijn kaartje aan een wachter, die het glimlachend van me aannam. Ik glimlachte terug. Hij las het. 'Hallo, Wanda,' zei hij. Zijn voorhoofd was een woest pukkellandschap. Wat gek, dacht ik, alleen zijn voorhoofd. Verder zat er nergens een puist.

'Zeg mij na!' riep de ezelman.

Het bidden begon. Het was trouwens meer een soort verklaring, zoals je wel eens ziet op de tv, als mensen trouwen. Dan moeten ze ook zinnetjes herhalen. Ik had mijn ogen dicht, want dat had iedereen. Ik deed mijn best om me op de woorden te concentreren en ze na te zeggen, maar het lukte niet zo goed. Aan mijn ene kant hing een loodzware, wee-zoete geur, iets goedkoops uit een flesje. Mijn maag trok ervan samen. Aan mijn andere kant dampte een mengsel van zurig zweet en tabak. Waar moest ik met mijn neus naartoe? Links, rechts, het was allemaal even erg. Ik boog mijn hoofd zo ver dat ik mijn neus tegen mijn eigen oksel kon duwen. Dat rook tenminste lekker vertrouwd en tegelijkertijd leek ik heel buigzaam en vroom.

Dit was volgens mij het moment. Ik moest mijn hart openen en Jezus toelaten, en dan zou hij het verlichten. Dat zeiden dominee Weil en de ezelman. Maar hoe deed je dat? Ik wilde het graag, maar dan moesten ze wel even hun kop houden. Ze kakelden maar door. Hoe kon ik me concentreren op 'openen', met al die stemmen, al die geuren en al het gedoe?

Hoe zouden anderen dat doen? Ik keek door mijn wimpers. Iedereen stond met het hoofd gebogen. Er leek niets bijzonders met ze te gebeuren. Zou Jezus bij iedereen tegelijkertijd naar binnen komen, of zou hij ons één voor één betreden? Ik denk dat laatste.

Nog even en ik kon terug naar mijn plek, naar Ron, bejezust en wel, helemaal schoon, zonder pijn of problemen.

Vanaf nu konden we alles samen doen, Ron en ik. Nou ja, veel meer in elk geval. Praten over God, zingen over God, lezen over God. Maar ook: bidden, bijbelplaatjes verzamelen, kijken naar televisieprogramma's over geloven, en ga zo maar door. Samen. Het was fijn om die dingen samen te doen. Deze dingen en ook andere dingen.

Hé, ja, daar ging het, mijn hart, het opende zich, als een roos die... nee, als een prachtig cadeau dat uitgepakt werd. Mijn lichaam vulde zich met warmte. Zou dit het zijn?
Ja, dit was het.
De bekering hielp écht. Meteen. Ik voelde me nu al beter.

'Hé, tof, jullie zijn er!' Stoffel plofte op de lege stoel naast mijn moeder.
De instrumenten stonden al klaar in een hoek van café Vink. Er was Jazzeron, een jazz-driedaagse, vertelde Stoffel, met overal in de stad optredens van muzikanten uit de stad, het land en zelfs de hele wereld.
'Is je vader er ook?' vroeg ik. Stoffels vader was ook bassist, en had de ogen geleverd voor het vaderportret.
'Nee, hij speelt wel, maar ergens anders.'
'Komt hij nog hier?'
'Nee, hoezo?'
'O, gewoon.'
Het leek me goed als er voor mijn moeder ook iemand was, iemand van haar leeftijd. Nou ja, Stoffels vader was wel ouder, maar dat maakte niet uit. Wieger was ook meer dan twintig jaar ouder dan zij. En Ron tien. Leeftijd maakte haar blijkbaar niet uit. Dat kwam nu héél goed van pas. Ze zou niks kunnen zeggen van mij en Stoffel.

Stoffel stond op en begroette twee walgelijk knappe blonde meisjes van een jaar of twintig, die hem druk begonnen te omhelzen. Ze kregen een gesprek met duizend namen erin van mensen die ik niet kende. Was Lottie hier maar, dacht ik. Zij was thuis, want haar zus kwam. Ik moest de blonde meisjes in mijn eentje haten.

Verder was er niet veel anders te doen dan rondkijken. Er waren mensen van alle leeftijden in het café, ik was lang niet de jongste. Eén vrouw had zelfs een baby bij zich. Ik probeerde me de belangrijkste tips te herinneren uit *De kikker*, waaruit Lottie gisteravond stukjes had voorgelezen. Tip vier, dat was iets over 'de jacht'. Je moest de jongen op je laten jagen, anders was er voor hem niets aan. Ga maar na, zei Hannelore, hoe meer moeite je ergens voor moet doen, hoe meer waarde het krijgt. Stel: je krijgt zomaar een scooter van je ouders. Grote kans dat je er slordig mee omspringt. Maar als je er hard voor hebt moeten werken, oppasbaantjes hebt genomen en de hele vakantie vakken hebt gevuld in de supermarkt, dan blijf je het ding koesteren en ben je er altijd voorzichtig mee. Dat komt omdat er veel van jouw energie in zit. Zo werkt het bij jongens ook. Ze vinden de meisjes die ze moeilijk kunnen krijgen het leukst. Doe dus niet al te openlijk enthousiast tegen de jongen van je dromen. Doe vriendelijk, maar niet té. Kijk niet steeds naar hem, en zéker niet alsof hij het achtste wereldwonder is. Mensen hebben het vaak door als er naar hen gekeken wordt, ook al sta je achter een bamboeplant of kijk je door twee gaatjes in een krant (hier stond een tekening bij).

De blonde meisjes hadden duidelijk *De kikker* niet gelezen. Ze leken wel kwispelende hondjes die om een snoepje van de baas bedelden, zoals ze met grote ogen naar Stoffel keken en hijgerig praatten, met hun tong bijna op hun tenen.

Het mocht niet van Hannelore, maar mijn ogen deden het toch: ze keken naar Stoffel. En Stoffels ogen dwaalden van de meisjes opzij naar mij. Zijn ogen zeiden: pff, hoe kom ik van ze af? Mijn maag sprong op en maakte een vreugdedansje met mijn hart. Samen zwierden ze in het rond.

'Wat zit jij zelfvoldaan te lachen,' zei mijn moeder.

O ja, mijn moeder. Die was er ook nog, daar moesten we nog van af zien te komen. Maar dat gaf niet. Niets gaf. Alles was goed.

Stoffel speelde fantastisch, op de contrabas. Zijn vingers wisten elke fractie van elke seconde precies waar ze moesten zijn. Dat was me nog nooit eerder opgevallen bij bassisten. Maar waarschijnlijk was Stofje gewoon veel beter dan de rest. Hij zat ook op het conservatorium natuurlijk, dat is zo'n beetje de hoogste school voor muzikanten.

Het ging allemaal zo soepel dat ik het bijna niet kon geloven. Ik was gewend dat er problemen waren, maar die waren er niet. Alles werkte mee. Waarschijnlijk omdat het gewoon 100% klopte, hij en ik, wij.

Dingen die meewerkten:

1. Het optreden was afgelopen en Stoffel kwam meteen weer bij mij zitten.

2. De blonde kwispelmeisjes zaten netjes aangelijnd bij de bar.

3. Mijn moeder zag een bekende met een leren jas en ging naar hem toe.

Stoffel en ik konden dus een tijdje ongestoord praten. Het klikte, ik wist dat al, maar dit was het bewijs. Ik had zo'n klik nog nooit gehad met een jongen. Met Jurg was het altijd een beetje ongemakkelijk. Vooral als we elkaar net zagen, dan ging het wat stroef, we wisten niet goed wat we moesten zeggen. Ik had vaak de neiging om maar snel te gaan zoenen, want als je zoende hoefde je niks te zeggen en was er geen ongemakkelijk gevoel meer. Met Stofje ging het allemaal vanzelf. Hij was enorm geïnteresseerd in mijn leven. Na een kwartier had ik al van alles verteld over mezelf, over mijn moeder en zelfs over Wieger, mijn stiefvader, of ex-stiefvader – ik zei dat ik niet precies wist wat hij was.

Stoffel vertelde over New York, waar hij komend voorjaar een tijdje heen hoopte te gaan.

Het enige stomme wat er gebeurde was dat er een bericht van Jurg binnenkwam. Mijn telefoon lag op de tafel, en Stoffel zag het scherm voordat ik hem had gepakt. 'Jurg,' zei hij. 'Was dat niet je vriendje?'

'Nnjjeuh,' antwoordde ik.

'O ja, dat zei je gisteren ook. Het was niet écht je vriendje. Meer... onecht.'

'Of helemaal niet.'

'Maar wel een beetje dus.'

'Eh...'

Wacht eens even. Er stond iets in *De kikker* over dit onderwerp... wat ook al weer? Het was iets wat ik heel raar vond. Zie je wel, Lottie had erbij moeten zijn, zij had het geweten. Bij dit soort dingen kun je niet zonder je beste vriendin.

'Het is op dit moment onduidelijk,' zei ik toen maar.

Met dat antwoord leek Stoffel tevreden.

'**Wie wil genezing?**' Dat was de ezelman weer. 'Steek je hand op!'

Ik stak mijn hand in de lucht, maar ik snapte het niet. Waren we nog niet genezen dan? Kwam er nog meer?

42

'Iedereen die genezing nodig heeft, kom op het podium! De anderen kunnen terug naar hun zitplaats.'

Op het podium kon iedereen je zien. Wat gingen ze daar doen? Moest je aan de zaal vertellen wat er met je aan de hand was?

'Jezus is nu toch in ons?' vroeg ik aan een vrouw met grote blonde krullen naast me. Ze rook naar tabak en wc-blokje en zag er niet uit alsof Jezus alle problemen al van haar schouders had getild. 'Hij kan ons toch van binnenuit genezen?'

De vrouw keek me aan, trok haar neus omhoog alsof ík degene was die vies rook en snelde weg, richting stoelen.

'Ik snap het niet,' zei ik hardop, maar niemand reageerde.

Ik kon natuurlijk ook teruggaan, net als de blonde vrouw, net als ongeveer de helft van de bekeerde mensen, maar dan was alles misschien voor niets geweest. *Kom op Kiek, niemand kent je hier.* Snel, snel, ik drong me tussen de overgebleven groep mensen zo vlug en onopvallend mogelijk naar de zijkant van het podium, waar het trapje was. Als eerste erop, als eerste eraf, zo werkte het meestal. Vlak voor het trapje wist ik me voor een oude vrouw te wringen. Toen ze wankelde, zei ik snel sorry, alsof het per ongeluk was. Toen pas zag ik dat ze met een stok liep. Oeps. Maar ik was wel mooi snel boven, er waren maar een stuk of drie mensen voor me het podium op gestapt.

Daar stonden we dan, in een rommelige rij. Ik keek het publiek in. Daar zaten Ron en Lies. Ron stak zijn hand even naar me op. Ik durfde niet terug te groeten, dat was veel te vrolijk. We moesten serieus zijn. Dit waren serieuze godzaken.

Er kwam een wachter op ons af. Hij vroeg aan de man vooraan wat er met hem aan de hand was. Ik kon het antwoord niet goed verstaan, want dominee Weil en de ezelman waren weer aan het praten in hun microfoons. Een andere wachter vroeg aan de vrouw met kind voor me wat het probleem was.

Zo meteen zouden ze bij mij zijn. Wat moest ik antwoorden? Ik moest iets verzinnen, ik kon toch niet de waarheid zeggen? Maar als je loog, werkte het misschien niet. Ik moest iets verzinnen wat niet gelogen was, zonder te vertellen hoe het zat. Bah, waarom moest je het vertellen? Kon je niet in stilte genezen worden? Dat was toch veel mooier?

De eerste man werd meegenomen door de wachter, naar dominee Weil. Hij had last van zijn been, zo bleek. Dominee Weil legde zijn hand op het hoofd van de man en begon te roepen. De ezelman vertaalde. Hij riep: 'Het bloed van Jezus zet me vrij.'

Geen idee wat ze bedoelden. Het publiek wel. Iedereen deed mee met dingen murmelen en roepen, met de handpalm weer in de lucht.

'Is de pijn al weg?' vroeg de ezelman.

'Eh... wel minder,' antwoordde de man.

Ze begonnen opnieuw.

'Is de pijn nu weg?' vroeg de ezelman.

'Ja.'

Verrukking in de zaal. Applaus.

De man liep blij het podium af.

Alleen nog een vrouw met kind, en een man, dan was ik aan de beurt.

De vrouw met kind werd naar Weil gebracht.

Het kind had last van eczeem, zo bleek.

'Was u getrouwd, op het moment van de conceptie?' vroeg dominee Weil aan de moeder.

'Eh... conceptie?' vroeg de moeder.

Ha, ze wist niet wat dat was. Ik wel. Verwekking! Dat het zaadje bij het eitje komt. Ik moest me inhouden om het niet over het podium te roepen.

'Verwekking,' zei de ezelman. 'Dat het kind werd verwekt.'

'Nee,' antwoordde de vrouw. 'Ik was niet getrouwd.'

'Aha! Zie, hier hebben we dus zo'n geval,' riep de dominee. 'Zoals ik eerder vanavond al vertelde: veel problemen van kinderen komen doordat ze buiten het huwelijk zijn verwekt. Vooral eczeem, zoals hier. Het is een vloeking! Maar die vloeking kunnen we opheffen met een gebed.'

Daar kwam de wachter al naar me toe. 'En waar wil jij van genezen worden?' Hij keek me vriendelijk aan. Er zaten vijf puisten op zijn wang en één op zijn neus.

'Eh...'

Stofje ging drinken voor me halen. Hij vroeg wat Yvonne wilde. Dat wist ik natuurlijk niet. Hij liep naar haar toe om het te vragen.

Hoe kreeg ik zijn telefoonnummer te pakken? Nee, hoe zorgde ik dat hij míjn nummer kreeg?

Ik las Jurgs bericht: `Waar ben je? Afspreken?`

Ik antwoordde: `Ben ergens met iemand. Morgen?`

Er kwam niks terug.

Stofje kwam wel terug, met appelsap voor mij, witte wijn voor mijn moeder en koffie voor zichzelf. Het was duidelijk dat hij een muzikant was, met een goede vingerbeheersing, want hij had de wijn en de appelsap in één hand. Ik nam de appelsap van hem over. Hij zette de wijn op onze tafel, in plaats van die naar mijn moeder te brengen, zodat hij meteen weer naast mij kon gaan zitten. Suikerhartjesgevoel in mijn buik. Je weet wel, die snoepjes met leuke woorden erop: *lief*, *lekker*, *mooi*.

'Zo.'

'Zo.'

'Ga je nog op vakantie, met je moeder? Of een vriendin?'

'Nee,' antwoordde ik. 'Jij?'

Hij niet. Hij speelde deze zomervakantie op een paar festivals in het land. En hij werkte extra, om geld te verdienen voor New York. New York was duur.

'Waar werk je dan?'

'In café 't Pietertje, hier om de hoek. Achter de bar.'

'O, gaaf!'

'Ja, is leuk. Waar kent Yvonne die gast van?' Hij gebaarde in de richting van mijn moeder en de man met de leren jas.

'Hè? O, geen idee. Ik ken hem niet.'

'Ik wel. Dat is een ontzettende pleeboy, met de nadruk op plee, p-l-e-e. Een plee-er. Hij kan geen mooie vrouw zien of hij moet haar het bed in lullen. Lelijke trouwens ook. Sorry, hoor.'

'Sorry voor wat?'

'Zo praat je natuurlijk niet tegen een... dame.' Hij sprak het woord 'dame' uit met een soort knipoog in zijn stem.

'Nou, zo damesachtig ben ik niet, hoor.'

Hij keek naar mijn moeder. 'Misschien moeten we haar waarschuwen.'

Mijn moeder legde haar hand op de arm van de pleeboy en lachte, met haar hoofd wat achterover.

Ik lachte ook. Ik vond het grappig en lief dat Stofje dacht dat hij mijn moeder moest redden. 'Je kunt beter die man waarschuwen,' zei ik. 'Voor háár.'

'Hoezo?' Stofje keek me verbaasd aan.

'O, jij kent haar niet. Mijn moeder heeft echt geen hulp nodig.'

'Maar jij kent hém niet.'

'Ze kan hem aan.'

'Hoe weet je dat?'

'Ze kan iedereen aan.'

Ik had niet zo'n zin om nog langer over mijn moeder te praten. Vervelend alleen dat ik niets anders kon verzinnen. We hadden geen gemeenschappelijke vrienden, nog niet tenminste; geen gemeenschappelijke bezigheden, nog niet tenminste; geen gemeenschappe... geen gemeenschap. Nog niet, tenminste. Haha, ik vond mezelf enorm grappig. Raar woord, gemeenschap, in de betekenis van seks. Waarom zou dat zo heten? Misschien noemden ze seks vroeger 'gemeen', net zoals wij nu soms 'wreed' zeggen als we 'leuk' bedoelen.

Of seks was écht gemeen, dat kon natuurlijk ook. Misschien deed het pijn. Vroeger was alles slechter dan nu. Het zazazorium was streng verboden toegang, ook voor jezelf. Je mocht alleen seks hebben als je kinderen wilde. En je mocht er geen plezier van hebben, je moest lijden.

'Waar denk je aan?' vroeg Stofje.

'Hè? O, niks.'

'Je zit zo grappig te kijken.'

Ik keek grappig. Grappig was leuk. Hij vond me leuk.

Hoe kwamen we van mijn moeder af?

Daar stond ik. Midden op het podium, naast dominee William K. Weil. De wachter had hem net over mij bijgepraat, vlak bij zijn oor.

47

'This is Wanda,' zei de dominee in de microfoon, en de ezel-man vertaalde. 'Wanda is ook buiten het huwelijk verwekt, onder zéér bedenkelijke omstandigheden. En de duivel heeft zijn kans gegrepen. Want tja, dat is nu eenmaal wat de duivel doet. Het is een soort hobby van hem.'

Het publiek lachte. Blijkbaar mocht je best grapjes maken, ook als je met serieuze godzaken bezig was.

'Wanda is nog maar vijftien jaren oud, en de duivel heeft haar verleid tot de vreselijkste dingen. Dronkenschap! Onzedelijke handelingen! Wanda wordt verscheurd door pijn en schaamte. Ze heeft geen thuis meer! Ze woont op straat en is al bijna in de prostitutie beland!'

Hé! Ho! Hu! Dat was niet wat ik had gezegd!

Ik had mijn verhaal expres vaag gehouden. Ik dacht dat dat goed was gelukt: niet liegen en toch niet te veel vertellen. Blijkbaar had de wachter of dominee K. Weil zelf wat dingen ingevuld.

Het publiek reageerde geschokt. Ik staarde strak naar de grote zwarte veterschoenen van de dominee en durfde niet in de richting van Ron en Lies te kijken. Hoe zouden hun gezichten eruitzien? Een paar dingen uit het verhaal klopten wel. Maar het was allemaal enorm overdreven. Hoe kwamen ze erbij?

Maar het was niet echt een geschikt moment om daarover na te denken.

Het bidden begon. De zaal deed driftig mee, waarschijnlijk was iedereen diep geraakt door dit vreselijke verhaal. Als er iemand redding nodig had, dan was ik het wel, arm vijftienjarig meisje. Handen gingen in de lucht. Overal gemurmel.

'Bibidebaba-rabarberdebosbos,' zei een man die schuin rechts bij het podium zat.

'Lub-lub-mischa-bischa-lub-blub-blubbel,' zei de man naast hem.

Ik was er niet verbaasd over, want voordat ik dat kon zijn, voelde ik de hand van dominee William K. Weil op mijn hoofd.

'You evil spirit! Verlaat dit kind van God! Eruit! In de naam van Jezus Christus.'

En hé... HÉ, er gebeurde wat! Ik voelde iets. Echt waar! Wat – mijn hemel nog aan toe, wat was het?

'Kom, we gaan.' Mijn moeder stond al en pakte haar jas van de stoelleuning. Ze had net haar wijnglas met een paar grote teugen leeggedronken.

'Nu al?' vroeg ik.

'Ja, nu al?' Stoffel keek teleurgesteld van mijn moeder naar mij.

'Ik blijf nog even,' zei ik.

'Het is al halfzeven geweest. We gaan eten.'

'We kunnen ook met z'n drieën even ergens wat eten,' zei Stoffel. 'Een pizza, of zo.'

Ik keek naar mijn moeder en knikte zo hard dat mijn hersens bijna tot slagroom geklopt werden.

Mijn moeder schudde haar hoofd. 'Nee, we gaan thuis eten.'

'O, nou ja.' Stoffel keek me sip aan. 'Tot een andere keer dan maar.'

Wat nu? Hij had mijn telefoonnummer niet. En ik dat van hem niet. Hoe moesten we elkaar weer vinden? Paniekscheut.

'Het was leuk,' zei mijn moeder tegen Stoffel. 'Tot ziens.'

Wacht. Ik wist waar hij werkte.

'Ja, het was leuk,' zei Stoffel tegen mijn moeder. 'Tot ziens.'

Hij wist dat ík wist waar hij werkte.

'Jullie hebben goed gespeeld,' zei mijn moeder. 'Het was mooi.'

Hij kon natuurlijk niet om mijn telefoonnummer vragen, mijn moeder stond erbij. Maar hij wist dat ík wist waar hij werkte.

Toch was hij er niet gerust op, dat zag ik aan zijn gezicht. Kon ik naar hem seinen dat alles goed zou komen? Zonder dat mijn moeder zag dat ik seinde?

Ik zou zo snel mogelijk langskomen, in café 't Pietertje, eerst natuurlijk met Lottie. Als het eenmaal echt aan was, kon ik ook alleen. Hij werkte veel deze zomer, dat had hij al gezegd. Dat was een hint geweest. Het betekende: kom snel langs.

Straks meteen Lottie bellen en afspreken om erheen te gaan. 'We komen gauw langs in 't Pietertje, iets drinken,' zei ik, terwijl mijn moeder wegliep.

Hij kneep even in mijn onderarm. 'Tof.' Hij glimlachte en keek een stuk geruster. 'Tot later.'

'Tot later.'

Ik zweefde het café uit.

Eigenlijk was het juist goed om koelbloedig weg te gaan, bedacht ik, toen we onze fietsen van het slot haalden. Als ik nog was gebleven, in mijn eentje, had het er te dik bovenop gelegen dat ik hem leuk vond.

Nu was het precies goed. Hannelore zou trots op me zijn.

'We gaan vanavond naar 't Pietertje!' schreeuwde Lottie door de telefoon. Ze leek nog opgewondener dan ik, toen ik

had verteld wat er was gebeurd en dat het nu wel 100%
zeker was dat hij mij ook leuk vond.
'Nee, nee, we gaan niet meteen. Denk aan *De kikker*.'
'O ja.' Lottie zuchtte diep. 'Het gaat jou nog eerder lukken
dan mij.'
'Wat?'
'Het contract.'
'Had je dat niet verwacht?'
'Nou ja, nee, ja, misschien wel. Jij hebt natuurlijk Jurg.'
Jurg? O ja. Die had ik ook nog. 'Misschien moet ik het hem
vertellen.'
'Wat?'
'Van Stoffel.'
'Ja. Of je wacht even af, hoe het loopt.'
'Maar hij wil afspreken. Morgen ga ik het zeggen.'

De dag daarna zat ik met Jurg op zijn kamer. We speelden
wat bas. We draaiden wat muziek. We praatten wat. We
zwegen wat. We dronken wat. En al die tijd was ik druk
bezig met het niet-zeggen.
'Ik hoop niet dat je straks mevrouw Jansma krijgt, voor Nederlands,' zei Jurg. 'Die is erg. De Hoop is veel leuker.'
'Ja, De Hoop is best leuk,' zei ik. 'Niet altijd, maar vaak wel.'
'Jansma is in elk geval veel erger.'
'Nou, dan heb ik liever De Hoop.'
'Ja, die is echt leuker, hoor.'
Ken je dat, dat je langzaam ontploft, niet naar buiten, maar
naar binnen? Een langzame inploffing. Ik wilde het zeggen,
maar elke keer als ik de bewuste ademteug nam, ging het
poortje dicht. Het poortje naar buiten, waar mijn stem langs
moest.

We gingen zoenen, want dat deden we altijd. Ik kon moeilijk zeggen dat ik het niet wilde.

Ik wilde dat ik wél wilde, ik deed mijn best het te willen, maar het lukte niet.

Ik wilde niet, maar ik deed het wel. Want hoe legde ik uit dat ik niet wilde, terwijl ik anders altijd wel wilde? Of het in elk geval dééd, of ik nu wilde of niet.

Ik moest me eroverheen zetten. Tot ik het poortje openkreeg.

We zoenden.

Stofje. Stofje. Stofje.

Best vies eigenlijk, zo'n tong in je mond. Er zat kwijl aan.

Was het Jezus, die ik voelde? Nee, Jezus liep vast niet in straaltjes over mijn voorhoofd. Het was de hand, de brandende hand van dominee William K. Weil. Met warm vocht. Was het míjn zweet of... K. Weils zweet? K. Weil. Kweil. Kwijlteiltje.

Ik begon te kokhalzen.

'Yes!' riep hij. 'Throw him out! Gooi de duivel eruit! D'ruit, kwade geest! Verlaat dit meisje! In de naam van Jezus Christus!'

Ik bleef kokhalzen, kon niet ophouden.

'Zie, zie hem vechten, de duivel! Maar Jezus is sterker!'

Oké.

Denk nu niet dat ik gek ben. Maar.

Opeens gebeurde er iets. Ik had een soort... hoe heet dat, een uittreding. Ik trad uit. Uit mezelf. Als dat zou kunnen. En ook als het niet kan, gebeurde het. Het was alsof ik opeens bóven het podium hing en naar de scène beneden keek. Ik moest lachen, want het zag er nogal mallotig uit: de kokhalzende Kiek, de dominee die zo zijn best deed de duivel weg te sturen, iedereen op het podium die met grote ogen toekeek, het publiek dat riep en gebaarde en murmelde, de hele mikmak bij elkaar.

En terwijl ik daar hing, boven alles, boven Kiek, wist ik ineens wat ik moest doen.
Daar was hij, zomaar, de perfecte oplossing voor alle toestanden waarin ik me bevond. Deze oplossing was zo goed dat iederéén er gelukkig van zou worden, niet alleen ik. Nou ja, bíjna iedereen. Je kon niet alles hebben.

Ik hing en zag. Ik óverzag. Alles wat er was gebeurd. Alles wat ertoe had geleid dat ik hier nu hing. Vanaf de eerste avond in 't Pietertje tot aan de tweede avond in 't Pietertje tot aan het Koekjesfabriekfeest tot aan de bankzoen tot aan gisteravond tot aan vannacht tot aan nu.

Laat me maar rustig hangen, terwijl ik alles vertel. Ik kan het aan.
Ik maak het niet te lang. Ik heb niet zo'n zin om over elk detail uit te weiden, ook al hang ik hier veilig boven mezelf. Het is ook zonder alle details al erg genoeg. Maar het is te doen zo, met die gekke kokhals-Kiek onder me, en dominee K. Weil met zijn zweethand op haar zweethoofd.

Hier komt het.
Huiver, gruwel, maar wanhoop niet, want alles komt goed. In elk geval beter. Alles komt beter.

'**Durf jij condooms te kopen?**' vroeg Lottie.

'Nee,' zei ik. 'Dat moet hij maar doen.'

We hingen bij mij thuis op de bank en hadden net hoofdstuk 6 van *De kikker* nog eens goed gelezen. 'Laat hem wachten & smachten', heette dat hoofdstuk. Het ging erover dat je hem niet moest geven wat hij wilde, op lichamelijk gebied. Als je dat wel deed, had je grote kans dat je prins snel in een kikker zou veranderen.

'Hij wil seks' schreef Hannelore. 'Hij wil je lichaam. Reken maar! Hij zal enorm zijn best doen om het te krijgen. Het is verleidelijk om toe te geven, want laten we wel wezen, jij bent ook niet van steen. Maar als je te snel toegeeft, ben je voor hem het soort meisje waar hij seks mee wil, maar geen relatie.'

'Ik vind het ouderwets,' zei Lottie. Ze had de laatste dagen wel meer kritiek op *De kikker*. Er stond niet altijd wat zij wilde dat er stond.

'Wat denk jij dan?'

'Ik denk dat je gewoon moet doen waar je zin in hebt, dan gaat het vanzelf goed.'

'Eh... niet boos worden...' zei ik als voorzichtige inleiding, want zij en Sven, dat bleef een gevoelig onderwerp. 'Maar eh... nou ja, bij Sven deed je ook waar je zin in had en dat ging niet echt goed.'

'Nee, dat deed ik niet! Hij wilde steeds verder gaan, en ik wilde dat eigenlijk óók, maar ik deed het niet.'

'Waarom niet?'

'Dat heb ik al verteld. Ik vond mezelf te jong. En...'

'En wat?'

'Ik wilde niet dat hij dacht dat ik... een seksmaniak was, of zo.'

Ik lachte, Lottie ook, zij met hoge piepjes.

'Misschien had ik het wel moeten doen,' zei ze.

'Ach nee, dat had echt niet uitgemaakt.'

'Hoe weet je dat?'

Ik haalde mijn schouders op. 'Gewoon. Sven kan te veel meisjes krijgen en hij wil ze ook allemaal. En wacht...' Ik bladerde door *De kikker*. Aha, daar stond het. '"Hij wordt niet verliefd op je, omdat je met hem naar bed gaat. Vergeet het maar! Zorg eerst dat hij dat al is en ga *dan pas* verder." Zo.'

Lottie rukte het boek uit mijn hand en smeet het door de kamer. 'Zo,' balkte ze me na.

We zakten verder onderuit op de bank. Ik dacht aan Stofje. Niet om een speciale reden, maar omdat ik altijd aan hem dacht. Lottie en ik waren de avond ervoor langs café 't Pietertje gelopen, maar er stond een meisje achter de bar. Vanavond gingen we weer, elke avond als het moest, net zo lang tot hij er was.

We zouden onze eerste zoon Pieter noemen. Of anders onze hond. Als mensen dan vroegen waarom hij zo heette, konden we vertellen dat we hem hadden vernoemd naar de plek waar we voor het eerst hadden gezoend.

Want dat ging natuurlijk gebeuren. Vanavond. Of morgen.

Arme Lottie. Zij had alleen maar een ex die niet eens een ex was, die niet verliefd op haar was, zelfs niet geweest, en ik had een... wat was het tegenovergestelde van ex, iemand met wie het nog wat wordt? Ik had een wordende vriend, die mij wél echt leuk vond.

Het was stom, maar het gaf me een superieur, almachtig gevoel. Ik had alles. Want ik deed het goed. Zij had niets. Want zij had het fout gedaan. Te veel achter hem aan gelopen. Te beschikbaar geweest. Te veel gedaan wat hij wilde. Dat was fout. Dat vond Hannelore ook.

Dit soort dingen mocht je natuurlijk niet denken over je beste vriendin, ik wilde het ook niet denken, maar ik kon de gedachten niet tegenhouden.

Opeens liet Lottie zich op de vloer glijden, rolde op haar buik en kroop op handen en voeten naar het boek, dat bij de muur lag. Ze pakte het, ging op haar kont zitten, keek me aan en zei: 'Ik heb nagedacht. Ik heb besloten. Ik ga alles helemaal volgens het boekje doen. Van hoofdstuk één tot en met tien.'

'Hè? Nu opeens weer wel?'

'Ja. We zullen zien wie gelijk heeft. Als Hannelore gelijk heeft, prima. Dan gaat het goed tussen mij en mijn nieuwe vriend. Als ík gelijk heb, pech, dan gaat het fout, maar dan ga ik zelf een boek schrijven. Want dan weet ík precies hoe het zit.'

Ik wilde vrolijk gaan lachen, maar Lottie keek zo serieus, dat de lach snel rechtsomkeert maakte.

Ik hang hier nog. Let niet op mij. Het gaat goed, heel goed. Verder maar. In één ruk door, nu.

We gluurden naar binnen. Daar waren we inmiddels goed in geworden, in onopvallend langs 't Pietertje lopen en naar binnen kijken. En... hij was er! Mijn hart bonkte als een heimachine mijn hele onderbuik plat. Zoef, ineens ging ik de straat door, waarom weet ik niet, ik voelde een enorme spurt in mijn lijf. Mijn benen renden weg en ik kon ze er natuurlijk niet vandoor laten gaan zonder de rest van mij.

'Hé!' hoorde ik Lottie schreeuwen. Ik stopte en hijgde uit.

'Wat doe jij nou?' vroeg ze, toen ze bij me was.

'Ik durf niet.'

'Waarom niet? Hij vindt je leuk, dat staat vast.'

'Als ik naar binnen ga, zit ik achter hém aan. Hannelore zegt dat hij achter míj aan moet zitten.'

'Dat doet hij toch?'

'Hoe dan?'

'Hij heeft je uitgenodigd voor een optreden en... weet ik veel, hij doet van alles. Sven heeft dat soort dingen nog nooit gedaan.'

'Ik ben bang dat hij in een kikker verandert.'

'Oké, even praktisch nadenken. Heeft hij je nummer?'

'Nee.'

'Weet hij waar je woont?'

'Nee.'

'Weet hij je achternaam?'

'Nee.'

'Hoe kan hij je dan ooit vinden om netjes achter je aan te zitten, zoals het hoort? Kom mee, we gaan ons plan uitvoeren.'

Lang leve Lottie. Soms heb je iemand nodig die je aan het handje neemt, net als toen je klein was. Soms red je het niet zonder hand. Was je als vierjarige dat enorme schoolgebouw in gelopen, als er geen hand was geweest om je mee te trekken? Was je op je eerste echte fiets gestapt, zonder zo'n hand? En nu was er weer een, op het moment dat hij nodig was.

We liepen terug. Lottie duwde de cafédeur open en liep onverschrokken naar binnen. Ik tripte als een uilskuiken achter haar aan. Lottie klom direct op een barkruk, naast een jongen met naar voren gekamd haar. Hij keek verbaasd.

'Hé, Kiek!' riep Stofje vanachter de bar. 'En... vriendin van Kiek!'

'Lottie,' zei Lottie.

'Ja, Lottie. Jij was er ook bij, toen.' Stofje had het over het interview met hem en zijn vader, een paar maanden daarvoor. 'Leuk... Leuk. Dat jullie er zijn.'

Ik weet niet. Hij zei 'leuk'. En hij meende het, volgens mij. Toch was er iets in zijn stem dat het niet leuk leek te vinden. Iets. Wat? Of was ik overgevoelig? Ja, dat was het waarschijnlijk. Bah, ik had die rotkikker niet moeten lezen. Ik ging nu overal wat achter zoeken: zie je, hij vindt me metéén niet meer leuk, zie je, hij knapt metéén af, want ik ben naar hém toegekomen. Ik had hem op míj moeten laten jagen.

Nou Hannelore, wees gerust, dat ging ik vanaf nu doen. Ik was de prooi en zo zou ik me gedragen. Hier was ik, hupsekee, jagen met die hap.

Een jongen met blond stekelhaar kwam bij Lottie staan.

'Ja, dat was dus zíjn kruk,' zei de jongen met naar voren gekamd haar tegen Lottie.

'O, geeft niet, blijf lekker zitten,' zei de blonde stekelhaarjongen. 'Mag ik nog twee bier?' vroeg hij aan Stofje.

Ik zat inmiddels op de barkruk naast Lottie, aan haar andere kant. Ik voelde me een konijntje in het open veld.

'Of wil jij ook wat drinken?' vroeg de stekelhaarjongen aan Lottie.

'Ja, bier,' zei Lottie.

'Ben je al zestien?' vroeg Stofje.

Lottie keek beledigd. 'Tss, zien we eruit alsof wij géén zestien zijn? Hallo, ik ben bijna zeventien, hoor. Zij ook.'

Stofje keek naar mij. Toen sprong hij over de bar, pakte me

58

vast en wierp me achterover. Hij keek me indringend aan.
'Ik dacht dat je jonger was,' fluisterde hij. 'Daardoor durfde
ik niet... ik dacht... ik wilde zo graag...'
'Ik ook,' zei ik, met een snik in mijn stem.
'Maar eigenlijk maakt leeftijd niet uit. Dat besef ik nu. Ware
liefde overwint alles.' Hij kuste me zacht en hard tegelijk,
teder en opeisend. Daarna keek hij me weer aan en streek
zacht het haar uit mijn gezicht. 'Heb je een legitimatiebe-
wijs?' vroeg hij.
Ik schrok op en keek naar Lottie. Lottie keek terug. O, Stoffel had het tegen mij. 'Huh?' zei ik.
'Ik zit even te rekenen. Hoe jong was je moeder dan wel niet,
toen jij werd geboren? Ze lijkt me nu een jaar of dertig.'
'Pff, mijn moeder is veel ouder dan je denkt, hoor.'
'Hoe oud dan?'
'Wel veertig,' zei ik. Ik gooide er gewoon een jaartje of zeven
bovenop, dan zaten we safe.
'Hm.' Stofje tapte een biertje en zette het voor me neer. Ik
zag dat Lottie er ook al een voor zich had staan. 'Het maakt
míj verder niet uit,' zei hij, 'maar mijn baas komt in de pro-
blemen, hè? Alcohol schenken aan minderjarigen.'
Ik nam een slok. Bah, wat was die eerste slok toch altijd
vies. Nou ja, altijd, zo vaak had ik nog geen bier gedronken.
'En Yvonne is geen veertig,' zei Stof. 'Maak dat de kat wijs.'
'Ik heb geen kat.'
'Aha, vandaar dat je het míj probeert wijs te maken.'
Ik lachte. Stofje ook. We snapten elkaars grapjes. Dat was
heel belangrijk. Jurg begreep mijn grapjes vaak niet, of ik
die van hem niet. Dan moesten we ze uitleggen aan elkaar,
en dan was het hele grapeffect weg. Met Stofje ging alles
vanzelf. Alles, alles, alles.

Had ik al gezegd dat met Stofje alles vanzelf ging? Alles, alles alles?
Nou, alles ging dus vanzelf, met Stofje. Alles, alles, alles.

Volgens mij hadden ze ons verdeeld. De jongen met het naar voren gekamde haar kreeg mij, de stekelhaar-jongen Lottie. Jammer alleen voor de eerste jongen, Diede, dat hij het kon shaken. En jammer voor de tweede jongen, Rikzo, dat Lottie *De kikker* aan het testen was. Daardoor kregen beide jongens niet wat ze wilden: ons. Wij kregen wél wat we wilden: bier.
Het werd druk in 't Pietertje.
'Wij zitten op de jeugdtheaterschool,' zei Diede tegen mij.
'Hier komen veel mensen van de theaterschool.'
'En van het conservatorium,' zei ik.
'Er komt hier van alles. Hou jij van theater?'
'Ja. En van muziek.'
Ik stootte Lottie aan, want ik wilde niet de hele tijd door-praten met Diede. Ik wilde vrij zijn voor als Stofje even niets te doen had.
Hoe zat het ook al weer?
Wees niet te beschikbaar. Laat zien dat andere leuke jongens belangstelling voor je hebben, dat maakt je alleen maar be-gerenswaardiger. Houd af en toe wel subtiel contact met je prins, zodat hij niet geheel ontmoedigd raakt.
O ja, zo zat het.
'Wat is er?' vroeg Lottie.
'Niks, laat maar.'
Ik praatte door met Diede, over theater, over school, over drank, over teksten uit je hoofd kennen.

Hoe deed je dat, contact houden met je prins, als hij steeds bier tapte? Dat stond niet in het boek. Hoe zorgde je dat hij bij jou kwam staan en praatjes aanknoopte als hij even niks te doen had? Dat stond er ook niet in. Hoe zorgde je dat hij je mee uit vroeg? Hoe zorgde je dat... Stofje glimlachte naar me, terwijl hij een wijnglas afdroogde. Pfsjwhrhhaah. Dat was het geluid van zijn glimlach die zich in mij boorde. Hij was me niet vergeten, hoe druk hij het ook had. Hij hield subtiel contact.

Zijn blik reisde verder, naar iets achter mij. De deur was net opengegaan. Het was alsof alle aandacht in het café erheen gezogen werd. Ik keek om. Er kwam een meisje binnen, zo mooi, zo fruitjesfris dat elke kers op slag groen werd van jaloezie. Ze liep recht op de bar af, haar rokje hupte vrolijk op met elke stap die ze zette.

Het was een regelrechte scène uit een liefdeshorrorfilm. Ik wist zeker dat ze Stofje te pakken zou krijgen. Ze zou hem hap voor hap oppeuzelen en mij in een zombie veranderen. Een zombie, ja. Niet dood, maar gedoemd om levenloos verder te leven.

'Hé, Stof!' zei ze.

'Hé, Pinkie!'

Pinkie? Wie heette er nu Pinkie?

Stoffel liep naar de baropening. Ze omhelsden elkaar, zoenden elkaar op de mond, terwijl ondertussen twee monsterklauwen hun nagels in mijn buik drukten en hem opentrokken. Alle ingewanden vielen eruit. En terwijl ik bezig was ze terug te proppen, zei Stoffel tegen mij: 'Kiek, dit is Pinkie. Zij zingt in een van de bands waarin ik speel.'

'Sinds kort,' zei Pinkie. 'Hoi.' Ze keek me stralend aan. Niet alsof ik concurrentie voor haar was. Dat was ik natuurlijk ook niet. Ze zag eruit als een supermodel. Maar dan veel liever en leuker. Niet bitcherig, of met zo'n lege blik.

'Kiek heeft me een keer geïnterviewd,' zei Stoffel.

'O, ben je journalist?'

'En ze is afgelopen zaterdag met haar moeder langs geweest, in Vink. Toen ik met Reinier en Janno en Sam speelde.'

'Ahááá!' zei ze, alsof dit enorm interessant nieuws was. Blijkbaar was ze niet veel gewend, aan interessant nieuws. Dat kon natuurlijk. Wie weet was ze heel saai. Ja, ze was heel saai. Dat moest wel. Iemand kon niet alléén maar pluspunten hebben.

Jazeker, het uiterlijk is belangrijk. Met een mooi uiterlijk trek je jongens aan, je kunt ze gemakkelijk krijgen. Maar – en dit wordt vaak vergeten – je HOUDT ze er niet mee! En over het HOUDEN gaat nu juist dit boek.

Dit stond in de inleiding van *De kikker*. Je houdt ze er niet mee. Het was deze strohalm waaraan ik me wanhopig probeerde vast te klampen.

Alles was verloren. Zo voelde het tenminste. Pinkie bleef naast mij staan. Ik kwam alles over haar te weten, en hoe meer ik van haar wist, hoe hopelozer de toestand eruitzag. Zelfs al had Stoffel mij leuk gevonden, dat zou snel over zijn nu zij hem wilde. Want dat ze hem wilde, was me wel duidelijk.

Wat ik allemaal te weten kwam:

- Pinkie werd Pinkie genoemd omdat ze vroeger haar pink gebroken had. Dat was nog steeds te zien, hij stond behoorlijk scheef. Eigenlijk heette ze Anneke.
- Pinkie schreef haar eigen liedjes, liefst in het Nederlands.

Ze trad in haar eentje op, met een gitaar. Daarnaast zong ze in een band, voor de gezelligheid.

- Pinkie was tweeëntwintig en het was net uit met haar vriendje. Dat vriendje was te jaloers geweest.
- Pinkie was walgelijk aardig en helemaal perfect. Haar enige foutje, die scheve pink, maakte haar alleen maar nog perfecter.

'O ja, Kiek,' zei Stoffel, terwijl hij een witte wijn voor Pinkie neerzette – de derde al. 'Ik moet nog even het nummer van je moeder hebben.'

'O. Waarom?'

'Ik heb een elpee voor haar, eentje die ze zocht.'

'Een elpee? Ze heeft niet eens een ding om ze te draaien.'

'Weet ik.'

Hij legde het verder niet uit, nou ja, het was natuurlijk ook niet erg belangrijk. Ik schreef mijn moeders nummer vanaf mijn telefoon over op een viltje. Shit, ik had natuurlijk moeten zeggen: ik zet het nummer wel even in je telefoon. En dan had ik... ja, wat eigenlijk? Dan had ik zijn telefoon even kunnen vasthouden.

Meer van hem zou door mij niet vastgehouden kunnen worden.

Het was hopelozer dan hopeloos.

Mijn moeders telefoonnummer. Dieper kon je niet zinken. Hij had mijn moeders telefoonnummer nog eerder dan het mijne. Sinds Pinkie binnen was gekomen, was zijn belangstelling voor mij verdampt als een spuugklodder in de woestijn.

Lottie en ik fietsten naar mijn huis. Ik baalde dat ze bij me sliep. Ik wilde alleen zijn en huilen. Ze was ook nog eens ontzettend opgewekt, dat maakte het nog erger. Ze probeerde het te verbergen, maar dat lukte niet.

Het klopte niet, je hoort met je beste vriendin in hetzelfde gevoel te zitten. Altijd. Als ik me klote voel, moet zij zich ook klote voelen. Dat móét.

Dat wist Lottie natuurlijk, daarom deed ze haar best om haar goede humeur te onderdrukken. Dat was dan wel weer lief.

'Rikzo is echt leuk,' zei ze somber.

'Had je niet willen blijven dan?'

Ik had haar min of meer meegesleurd, de kroeg uit. Ik hield het er ineens niet meer vol.

'Nee, het is juist goed zo. Hij wilde wel, maar ik laat hem lekker smachten, hoofdstuk zes. Ha. Ik zie hem vanzelf wel weer.' Ze was alweer vergeten dat ze somber moest klinken.

'Waar dan? Heb je een date?'

'Nee, maar ik ga naar de jeugdtheaterschool. In september beginnen de cursussen weer.'

'Hè?'

'En jij gaat ook mee. Het is hartstikke leuk. Dat zegt Rikzo. En o ja, hij wordt het.'

'Hij wordt wat?'

'Mijn lintjesdoorknipper. Hij gaat het zazazorium openen.'

Dat was typisch Lottie. Zij kon haar zevenmijlslaarzen aantrekken en ineens, met één of twee passen, van A naar Z gestapt zijn.

'Maar je kent hem nauwelijks.'

'Ik zeg ook niet dat we het morgen al gaan doen. Ik ga hem leren kennen. Ik zorg natuurlijk eerst dat hij verliefd wordt.'

Pff. Alsof je dat zomaar even kon regelen.

We fietsten een tijdje stil naast elkaar.

'En jij moet ook iemand anders zoeken,' zei ze toen we mijn

straat in reden. 'Dan kom je er vanzelf overheen. Diede is leuk, vind je niet?'

Ik gaf geen antwoord. Het was veel te pijnlijk dat het zelfs háár was opgevallen. Dat Stoffel alleen oog voor Pinkie had gehad, bedoel ik. Lottie had bijna aldoor met Rikzo gepraat, en toch had ze het gezien. Ze schatte mijn kansen bij Stoffel blijkbaar op nul in.

Ze deed niet eens alsof het niet zo was.

Toen ik wakker werd, lag Pinkie naast me. Als tekening, bedoel ik. Haar naam stond erbij, maar ook zonder naam zou ik haar herkend hebben. Ondanks de beugel, de puisten en de wratten.

Mijn hoofd voelde ellendig zwaar, toch wisten mijn lippen zich in een glimlachje te trekken. Blijkbaar was Lottie speciaal vroeg wakker geworden om dit voor mij te maken. Zo'n vriendin was nog een lichtpuntje in de duistere grot waarin ik de rest van mijn leven zou doorbrengen.

Ik sleepte me uit bed en naar beneden. Daar zat Lottie aan de ontbijttafel te lezen in *De kikker*. Bah, ik kon dat boek even niet meer zien.

'Haaai!' zei Lottie vrolijk. 'Ik bedoel... hai.' Ze keek alsof ze een doodsbericht bracht.

Ik stak even een hand op en ging toen snel naar de huiskamer om me op de bank te werpen.

Het was halftien, mijn moeder was al naar haar werk. Mooi, dan kon ik in stilte lijden.

Had Lottie ook maar liefdesverdriet. Dan was ik tenminste niet zo alleen.

Nee, dat was gemeen van mij, dat meende ik niet. Ik meende het wel, maar ik meende het niet.

Ik schudde mijn hoofd. Stofje. Nooit geweten dat het écht pijn in je hart doet, zoiets. Ik dacht altijd dat dat bij wijze van spreken was. Misschien moest ik vandaag maar eens alle liefdesverdrietliedjes bij elkaar zoeken en draaien. Ik snapte ineens waar ze over gingen.

Ik begreep alleen niet dat die liedjesschrijvers op zo'n moment zin hadden om een liedje te maken. Ik had nergens zin in. Zeker niet in iets maken. Eerder in iets breken. Kapotsmijten. Stuktrappen. Maar zelfs dat niet. Het was allemaal zinloos en kostte te veel energie.

'Hoe gaat-ie?' Lottie stond bij de bank waarop ik lag weg te kwijnen.

'Dank voor de tekening,' zei ik schor. 'Hij is echt goed.'

'Ik ga naar huis. Red je het wel? Als je het niet redt, moet je meteen naar mij toe komen, hoor.'

'Ik ga naar Wieger,' antwoordde ik.

Hm, goed idee, dat ging ik doen.

Het grote niets van Doodschaap, dat was beter dan Wieger. Ik keek door het busraam naar de velden. Wieger was weer eens druk geweest met Zwaan en Sijsje, zijn kleine en zijn piepkleine dochtertje. We hadden weliswaar een wandeling gemaakt, in het park vlak bij hun huis, maar de gesprekken gingen toch meer van *doediedoedel* en *tadadadeldopje* dan van *goh Kiek, gaat het wel goed met je, je kijkt zo ongelukkig, kan ik wat voor je doen, heb je iets nodig, kom hier, ik zal je wel even knuffelen, net zo lang en stevig tot je nergens meer last van hebt.*

Naar Ron, dat was beter. Al had ik niet zo'n zin in Lies. Ik snapte niet zo goed waarom ik geen zin in haar had, want ze deed altijd heel aardig tegen me. Maar ik weet niet, ik had altijd het gevoel dat ze van alles over me dacht. Dat ik te ongoddelijk was, niet goed en niet braaf genoeg. Dat ik van alles fout deed volgens haar en God. Bij Ron had ik daar geen last van. Terwijl die toch evengoed helemaal van/met/in de Here was.

Ik had Wieger toch nog een vraag weten te stellen: hoe kom je van liefdesverdriet af?

Zo vroeg ik dat natuurlijk niet. Ik wilde niet dat hij wist dat ík het had. Ik vroeg: 'Hoe was dat, als jij vroeger door mama weer eens uit huis werd gezet en ze hysterisch deed omdat ze vond dat jij van alles fout had gedaan en je niet meer terug mocht komen? Voelde dat rot? En hoe kwam je daar dan van af, van dat rotgevoel?'

'Hè, wat? Pas op, Zwaan niet doen, ganzen kunnen gevaarlijk zijn.'

Ik herhaalde mijn vraag.

Hij keek peinzend naar Zwaan, die kirrend op een geel bloempje af waggelde. 'In het begin was het erg. Maar later wende ik eraan. Je moeder draaide altijd weer bij, dat wist ik.'

'Dus je hebt nooit liefdesverdriet gehad.'

'O, jawel hoor. Vaak genoeg. Ook vóór Yvonne. Vooral als tiener. Tieners hebben het zwaar.'

'O ja? Hoezo?'

'Zwaan, niet doen, dat is vies. Poep. Bah.' Zwaan stond met een takje in een hondendrol te prikken.

Ik vroeg of hij misschien wat busgeld voor me had, zodat ik naar Ron kon.

Ik heb aan Ron moeten wennen. Hij was mijn vader, maar hij voelde niet als mijn vader. En Wieger, die niet mijn vader was, voelde wel als mijn vader. Ik wilde dat ik ze kon laten samensmelten tot één vader, een die het tegelijkertijd wás en zo voelde. Maar ja.

Ron was heel anders dan Wieger. Veel minder vaderachtig. Ron was alles wat je je bij een rock-'n-rollmuzikant voorstelt, ook al was hij over de veertig en maakte hij nu meestal andere muziek. Hij zag er nog steeds niet uit alsof hij veel luiers verschoonde.

Ik kende Ron nu een paar maanden. In het begin was hij heel aardig, maar ook wat afstandelijk. Alsof hij niet goed wist wat hij met mij aan moest. Misschien zat Lies er daarom wel altijd bij, bedenk ik nu. Misschien had hij dat wel gevraagd: 'Laat me niet met Kiek alleen, anders weet ik niet wat ik moet zeggen.'

Ik besef ineens dat hij misschien ook wel aan míj moest wennen.

'Heb je ook spijt?' had ik hem gevraagd, toen ik daar een keer wat langer was omdat ik bleef logeren. Ik had al door dat je Ron niet moest overvallen met vragen, je moest het rustig opbouwen, anders klapte hij dicht. Ik had dus al een poosje naar deze vraag toegewerkt, via omwegen en zijpaadjes. 'Dat je bent weggegaan, bedoel ik, terwijl Yvonne zwanger was?'

'Nou, nee, want ik wist niet dat eh... de zwangerschap werd... voortgezet.'

Hij bedoelde dat hij dacht dat ze een abortus had laten plegen. Dat had hij gewild. Zij wilde het ook, maar besloot op het laatste moment – ze zat al in de wachtruimte van de late-abortuskliniek – om het niet te doen.

'Maar als je leuker tegen Yvonne had gedaan, had ze het

misschien wél verteld, en had je contact met mij kunnen hebben.'

'Ja. Als je vooraf alles weet, doe je alles anders,' zei hij. 'Maar zoals ik toen was, was het beter dat we geen contact hadden, geloof me maar. Je had niks aan me gehad. Minder dan niks. *Sex, drugs and rock-'n-roll*, dat was alles wat me interesseerde. Het is een verschrikkelijk cliché, maar bij mij was het gewoon zo. Je moeder had groot gelijk dat ze me niks vertelde over jou.'

'Maar ze had geen groot gelijk dat ze míj niet vertelde over jóú,' zei ik. Ik vond die leugens nog steeds walgelijk.

Thuis hebben we een dubbel-cd met oude Nederlandstalige liedjes, en er staat een liedje op dat zo gaat: 'Je loog tegen mij alsof ik een kind was; 'k geloof dat je dacht dat ik hele-maal blind was...' Ik vond dat vroeger al een belachelijke tekst, toen ik nog niet eens wist dat mijn moeder tegen me loog. Hoezo, 'alsof ik een kind was'? Is het soms normaal om tegen kinderen te liegen? Blijkbaar. Liegen mag, want de kleine idiootjes hebben toch niks door, ze zijn blind. Maar kinderen zijn niet blind.

Ik zag dat Ron zich ongemakkelijk voelde. 'Misschien heb je gelijk,' zei hij. 'Ik weet het niet. Moeilijk hoor, dat soort din-gen.'

Mijn moeder wilde me tegen 'de waarheid' beschermen, maar waarom? De waarheid is tóch wel de waarheid, of je haar nu kent of niet. En dan kun je haar maar beter kennen, dan weet je tenminste wat er aan de hand is. Anders vóél je alleen maar dat er van alles niet klopt, daar raak je verward en onzeker van.

Ik wist trouwens nu nog steeds niet wat die waarheid pre-cies inhield.

'Wat heb je eigenlijk gedaan,' vroeg ik dus, 'dat Yvonne zo boos op je is?'

'Ik... ik weet het niet. Ik heb zwarte gaten in mijn geheugen. Ik heb rottige dingen gedaan, dat weet ik wel. In die tijd. Ik weet niet. Misschien...' Hij keek onzeker naar Lies. Die had er tot nu toe stil bij gezeten, met een tevreden uitdrukking, alsof zij ervoor had gezorgd dat wij een goed gesprek hadden. 'Misschien wát?' vroeg ik aan Ron.

De uitdrukking op Lies' gezicht veranderde. Ze keek naar Ron terug met een BLIK. Die blik zei van alles, ik wist alleen niet wat. Was er alweer iets wat voor mij werd verzwegen?

'Je moet niet boos zijn op je moeder,' nam Lies het van Ron over. 'Ze wilde je beschermen. Dat is wat ouders doen. Dat is hun taak.'

'Het is hun taak om te liegen?'

'Ron is heel anders tegenwoordig. Maar vroeger... Je moeder was misschien bang dat je contact zou zoeken, en dan... nou ja, ik kan me wel voorstellen dat ze het niet wilde.'

'Nou, ik niet!'

Wat wist Lies er nou van? Zij was vast in een vrolijk hallelujagezin opgegroeid, waarin iedereen de hele dag lachte en zong en precies wist wie zijn ouders waren.

Ik liep van de bushalte naar Doodschaap. Ik was gewend geraakt aan die wandeling langs de akkers, ik was er zelfs van gaan houden. Een kwartier in de leegte. Ik werd er rustig van. Alsof de wind de gedachten uit mijn hoofd blies.

Jammer genoeg was geen stormwind sterk genoeg om Stofje uit mijn hoofd en hart te blazen. Wat was de liefde voor een stom ding, dat-ie zomaar ineens toesloeg! Het was net een terroristische bomaanslag. Daar zat je ook niet op te wachten.

Lies deed de deur voor me open. Dat deed ze altijd. Het zou niet zo gek zijn dat ze altijd de deur opendeed, als ze er zou wonen. Maar dat was niet zo, dat had ik een tijdje daarvoor ontdekt. Ze zei dat ze pas bij Ron in zou trekken als ze getrouwd waren. Geen seks voor het huwelijk. En als je dat wilde volhouden, was een bepaalde afstand nodig. Vooral 's nachts.

Lies was dus wel de állerlaatste persoon met wie ik over het lintjescontract kon praten. Maar dat hoefde ook niet. Pff, alsof ik tussen nu en mijn zestiende verjaardag kans zou hebben op seks. Ik zou blij mogen zijn als die kans zich ergens in de komende eeuw zou voordoen. Met iemand die ik leuk genoeg vond, tenminste.

Ik kon me niet voorstellen dat er ooit iemand anders zou komen. Het voelde alsof al mijn liefdeskans weg was. Alsof iedereen maar recht heeft op één echte liefde. Nou, dat was het dan, Kiek. Hij is met Pinkie en jij hebt niemand. Pech! Je zult het met Jurg moeten doen.

Oeps. Die laatste gedachte was gemeen. Gemene gedachtes hebben, het leek wel een specialiteit van mij. Mijn enige.

En onze volgende kandidaat is Kiek Florijn, beste mensen, applaus! Ze heeft geen vriendje. Haar talent is: gemene gedachtes hebben over mensen van wie ze houdt. Nu snapt u meteen waarom ze geen vriendje heeft.

'Wél, ik heb wél een vriendje, stomme zakkenwasser,' zei ik tegen de denkbeeldige presentator van de denkbeeldige liveshow. Ik nam me voor om te zorgen dat het aan bleef tussen mij en Jurg. Dat was belangrijk.

'Ron is nog even boven, in de studio, hij komt er zo aan,' zei Lies, terwijl ik me in de dikke omastoel liet zakken. Het ding heette een omastoel omdat zulke stoelen ook bij mijn oma en opa thuis stonden. Je zag ze veel in kringloopwinkels. Mensen wilden ze niet meer, vonden ze lelijk, terwijl ze heel lekker zaten.

Het uiterlijk was blijkbaar weer eens belangrijker dan het innerlijk.

Wacht maar. Je raakt uitgekeken op die mooie stoelen en dan heb je retedikke spijt. Spijt en rugpijn. En een harde kont. Lies begon een gesprekje met me, ik weet niet meer waarover, het was niet bijster boeiend.

Toen Ron naar beneden kwam, werd het wel boeiend. Hij was helemaal hyper. Hij omhelsde me, terwijl hij dat nooit doet. 'Hé, te gek dat je er bent, Kiek! Echt te gek!'

Wowie. Ik werd helemaal warm.

'Ik ben met een song bezig joh, daar krijg je gewoon blubberknieën van, zo goed.' Hij liep opgewonden heen en weer door de kamer en maakte een paar hupjes.

'O, dus je bent niet aan de speed of de drank?' Grapje natuurlijk, maar het was wel even door me heen geschoten. Hij barstte bijna uit elkaar van de energie.

Ron lachte. 'Nee hoor, ik heb tegenwoordig genoeg aan muziek om high te worden. Jezus en muziek, dát zijn pas *highmakers*.'

Lies zei: 'Kiek, ik vind het niet prettig, dat je dat zegt.'

'Wat?'

'Dat hij aan de speed of de drank zou zijn.'

'Het was een grapje.'

'Dat bedoel ik. Het is niet iets om grapjes over te maken.'

'O, nou ja, sorry dan.'

'Het is al goed.' Ze glimlachte naar me.

'Je moet het even horen. Kom mee.' Ron pakte mijn arm en trok me uit de omastoel.

'Het is nog niet af, hoor,' zei hij terwijl we de trap opliepen naar de kamer die hij als studio had ingericht. 'Dus niet te kritisch zijn.' Hij plofte op zijn bureaustoel en drukte op een paar knoppen. 'De piano speelt de melodielijn. Daar komt misschien zang voor in de plaats.'

Het was een prachtige melodie. Ik kreeg er kippenvel van.

'Gaan jullie er een tekst over Jezus of God bij maken?' vroeg ik toen het nummer afgelopen was.

Hij schudde zijn hoofd. 'Het nummer gaat over... jou.' Hij keek me niet aan. Hij keek naar het beeldscherm.

Ik zat doodstil, zelfs mijn adem ademde niet.

'Ik ben niet zo goed met woorden. Muziek, dat ligt me beter. Ik ben gewoon... nou ja, blij. Dat jij er bent.'

Omdat hij klaar was met praten, en ik niks kon uitbrengen, zaten we stil naast elkaar. Toen hij naar me keek vond ik het niet eens erg dat hij mijn natte wangen zag.

'Willen jullie thee?' Lies kwam de studio binnen. Ze voelde blijkbaar dat ze iets onderbrak, want ze vroeg: 'Wat is er? Alles goed?'

'Alles oké,' zei Ron.

Ik knikte, maar keek niet om. Niet iedereen hoefde mijn druilogen te zien.

'Goed. Eh... komen jullie dan naar beneden?' De deur ging weer dicht.

Ik besefte dat ik voor het eerst even niet aan Stofje had gedacht. Misschien zou alles goed komen. Misschien kon je liefdespijn wegpoetsen met liefdesliefde.

'Ron, heb jij wel eens liefdesverdriet gehad?' vroeg ik.

'Hè? Uuuh... Nee, eigenlijk niet. Niet echt. Ik had altijd een soort harnas aan. Niks kon me echt raken.'

'Wat fijn, als niks je kan raken.'

Hij draaide een kwartslag op zijn bureaustoel en keek me aan. 'Dat is dus níét fijn. Gevoelloos door het leven gaan, dat is verschrikkelijk. Je bent een zombie. Een ondode.'

Zombies. Daar had ik gisteravond nog gedachten over gehad. 'Maar nu heb je dus wel weer gevoel.'

'Ja, heel langzaam is dat gekomen. Dat je hart weer wat opengaat. Het is een proces, het gaat niet van de ene op de andere dag.'

'En nu hou je van Lies.'

Hij knikte. 'Lies is heel belangrijk voor me. Ze heeft me enorm geholpen, toen ik in de shit zat.'

'Maar jullie hebben geen seks. O.' Ik legde mijn vingers tegen mijn mond. Dat ik dat zomaar zei!

Hij lachte. 'Er zijn belangrijker dingen in het leven. Die seks komt wel, als we getrouwd zijn.'

'Is het niet moeilijk, om te wachten?'

'Neuj. Ik heb wel ergere dingen meegemaakt.'

'Komen jullie nou nog?' riep Lies van beneden. 'De thee wordt koud!'

'Bijvoorbeeld dat de thee koud wordt,' zei ik.

'Inderdaad. Dat soort rampen.'

Op dit soort momenten kon ik voelen dat Ron mijn vader was. Mijn moeder kon nooit om zulke grapjes lachen, dus waar had ik dat dan vandaan? Nou ja, ze kon er wel om lachen, maar ze ging er nooit in mee, zoals Ron en ik wel, bij elkaar. Ik keek opzij. Daar zat hij. Ik voelde iets gloeien in mijn borstkas. Het was een warme trots. *Dit is mijn vader.*

Hij maakte hartstikke goeie muziek en was verder ook helemaal tof.

Wat mijn moeder ook over hem dacht en wat ze ook over hem zei, hij was super. Ik kende hem nú, en dit was zoals hij echt was.

'Ik ben ook best muzikaal,' zei ik.

'O ja?'

'Ik heb heel vaak dat er opeens liedjes in me opkomen. Teksten en zo, maar ook met een melodie.'

'Dan moet je ze opschrijven. En aan mij geven. Misschien kan ik er dan muziek bij maken.'

'Maar ze gaan nooit over Jezus.'

'Nou en? Niet alles wat ik maak gaat over Jezus. Zó fanatiek ben ik nu ook weer niet, hoor.'

We stonden op en liepen de trap af. Ron was trouwens al weer rustig geworden, hij stapte gewoon naar beneden, zonder stuiteren. Ik liep achter hem aan. Ron, vader én collega-muzikant.

We dronken thee en daarna ging ik weer naar huis, met de bus van 17.06 uur. Soms bracht Ron me naar de stad, met de auto van Lies, maar hij wilde nu veel te graag verder met het nummer. Dat vond ik helemaal niet erg.

Lottie wilde weer naar 't Pietertje. Het duurde haar anders te lang voor ze Rikzo weer zou zien. Ze wilde naar het volgende hoofdstuk met hem.

'Maar je weet toch niet of hij er is? Hij zit daar heus niet elke avond,' zei ik. We lagen op het gras in Lotties tuin, want het was mooi weer. Op handdoeken, want alles was nog nat van een regenbui.

Ik had helemaal geen zin om daarheen te gaan. Ook niet als we een avond uitkozen dat Stof er niet was. Gelukkig had ik nog een goed argument om niet te gaan. 'En het is ook niet volgens het boekje.'

'Hoezo?'

'Hoofdstuk vier, hij moet achter jou aan zitten, weet je nog? Als jij daarheen gaat voor hem, zit jij achter hem aan.'

'Ik ga erheen om hem te negeren. Nou ja, niet negeren, maar cool doen. Zo van: hé hoi, jij ook hier, leuk, en dan weer doorpraten met een andere knappe vent.'

'Ik weet niet.'

Ze keek me meelevend aan. 'Als je het nog te lastig vindt... Ik snap het wel hoor, echt. Dan ga ik gewoon met iemand anders.'

Nou ja, zeg. Word ik meteen vervangen!

'Goed, ik ga wel mee.'

'Je moet júíst gaan. De boel snel weer oppakken.'

'Maar niet op een avond dat Stoffel werkt.'

'Gewoon verder leven. Je vindt heus wel iemand anders.'

Alsof ik iemand anders zou willen. Ik moest er niet aan denken. Wat trouwens wel lastig was, omdat ik Jurg nog had. En hij van niks wist. Hij dacht dat wij een gelukkig stelletje waren.

Als ik me nu heel erg op hem concentreerde, dan werd ik misschien vanzelf weer verliefd. Gewoon de hele dag aan hem denken, dan kwamen de gevoelens vanzelf. Omgekeerd werkte dat tenminste wel zo: als je veel gevoelens voor iemand had, dan dacht je vanzelf de hele dag aan hem.

Lottie pakte *De kikker*. Ze droeg het boek ineens aldoor bij zich en behandelde het eerbiedig, alsof het een bijbel was. Ze sloeg het open. 'Zorg altijd dat hij jou méér wil dan jij hem,' las ze voor. 'Speel geen spelletje, maar speel *het spel*. Het spel der verleiding. Kijk maar naar de natuur.'

Ik draaide me op mijn buik en keek de tuin door. Nergens waren twee planten of dieren het spel der verleiding aan het spelen.

'Blablabla.' Lottie gleed met haar wijsvinger over de bladzijden. 'O wacht, dit is belangrijk,' zei ze. 'Als vrouw ben jij de spelleider. Als jij niet *in control* bent, is er iets helemaal fout. Laat hem los en vergeet hem.'

'Wat bedoelt Hannelore precies met in control?' vroeg ik.

'Dat jij de grenzen bepaalt,' antwoordde Lottie. 'Van wat er wel en niet gebeurt, vooral qua seks.'

'Hoe wéét je of je in control bent?'

Lottie dacht even na. 'Hm. Dat voel je, denk ik.'

'Jij was bij Sven dus niet in control.'

'Ik wilde hem in elk geval méér dan hij mij. Dat werkt dus niet. Loslaten, die hap.'

'Ingewikkeld hoor.' Ik dacht aan Pinkie. Pinkie deed natuurlijk alles goed. Zij verdiende de gouden Hannelore-medaille, zo goed als ze alles deed. Jongens wilden haar vast en zeker altijd méér dan zij hen. Pff, lekker makkelijk, als je er zo uitziet als zij! Ze had ze voor het uitkiezen en nam natuurlijk de leukste: Stofje. Dat was vast heel 'natuur-lijk' volgens Hannelore. Ik vind dat we de natuur best kunnen veranderen. Alsof de natuur zo leuk is. De natuur slaat nergens op. Wie verzint zoiets belachelijks als de natuur?

'Waren we maar slakken,' zei ik. 'Slakken hebben het veel makkelijker.'

'In een volgend leven worden we slakken,' zei Lotte. 'Afgesproken.'

'Dan kunnen wíj samen paren,' zei ik. 'Slakken kunnen het met iedereen doen, het maakt ze niets uit. Ze zijn allemaal mannetje én vrouwtje.'

'Ja, dat is heel handig.'

'En ze hoeven ook niet te wachten tot ze de ware hebben gevonden. Iedereen is de ware, voor een slak.'

'Ik weet alles van slakken,' zei Lottie. 'Ik heb een keer met een slak gezoend.'

'Hè?'

'Daan Kouwenaar. Zat bij mij in de brugklas. Hij had een tong, net een naaktslak, dat ding. Een weekdier. Hij was mijn tweede zoenvriendje. Met tongen dan.'

'Kijk, daar gaat-ie,' zei ik.

'Wie?' Lottie draaide zich ook op haar buik.

'De tong van Daan. Daar glijdt-ie.'

Samen keken we hoe de tong van Daan Kouwenaar héél langzaam langs een bloemstengel omhooggleed.

'Dit is zeker weer androprofiel.' Lottie keek met een vies gezicht in de pan.

'Antroposofisch,' antwoordde haar moeder. 'Nee hoor, het is gewoon goed eten. Heerlijk. En ook nog gezond.'

Sinds Lotties vader weg was, was haar moeder met allerlei vage dingen bezig. Lottie vond het maar niks. Alles waar haar moeder mee kwam aanzetten, vond ze bij voorbaat gek, lelijk en vies. Die indruk had ik tenminste. Volgens haar moeder was Lottie een opstandige puber, zat ze in een fase. Volgens Lottie zat haar móéder juist in een fase.

Ze hoopten van elkaar dat het snel over zou gaan.

Het eten was best te doen, maar Lottie zat met een gezicht als een oorwurm te eten. 'We móéten wel dooreten,' fluisterde ze. 'We hebben een ondergrond nodig.'

Daarmee bedoelde ze dat de drank minder hard aankwam als je goed had gegeten. We zouden na het eten naar 't Pietertje gaan. Voor het eten waren we al even naar de binnenstad gefietst om naar binnen te koekeloeren. Geen Stofje achter de bar. Mooi zo!

Ergens ook níét mooi zo. Ergens zeurde vanbinnen nog een soort hoopje. Ook al had hij Pinkie gekust. Ook al had hij geen aandacht voor mij. Ook al was hij duidelijk weg van haar. Ik duwde de hoop weg, naar het verste verdomhoekje in het koude kamertje van de ongewenste gevoelens. Daar hoorde hij thuis.

Als jij hem méér wilt dan hij jou, laat hem dan los.

Loslaten, dat klonk leuk en simpel, maar hoe deed je dat? Dat vertelde Hannelore er niet bij. Hoe liet je los, als alles in jou zich voor zijn voeten wilde werpen, zich aan zijn been wilde vastketenen en roepen: wil mij! wil mij! neem mij! kies mij!

Ik snapte nog steeds niet hoe ik me zo had kunnen vergissen. Ik dacht echt dat hij mij leuk vond. Overal waren signalen. Dacht ik. Wat eng, dat je signalen kunt zien die er kennelijk helemaal niet zijn.

We zaten in 't Pietertje en alles verliep volgens Lotties plan:
1. Rikzo was er. Hij kwam binnen toen wij al lang en breed aan de bar zaten. We kletsten met een andere jongen, Piet.
2. Lottie zei tegen Rikzo: 'Hé hoi, jij ook hier? Leuk.' En praatte toen verder met Piet.

3. Rikzo hield haar in de gaten en zodra hij een kans zag, kwam hij vlak bij haar aan de bar staan.

Piet heette trouwens niet echt Piet, maar we hadden besloten dat we alle jongens Piet zouden noemen, behalve als ze hun eigen naam verdienden. Ze moesten leuk en bijzonder genoeg zijn voor een eigen naam. Piet was dat niet, want hij zeurde maar door over een saai feest waar hij was geweest. Hij kon er maar niet over uit hoe saai het was.

Dat alles perfect volgens Lotties plan verliep, maakte mij wat sikkeneurig, want voor mij was het fijner als het voor háár ook mislukte in de liefde. Tegelijk vond ik het ook leuk voor haar. En het gaf hoop. Hoop dat je een goed plan kon hebben en dat dat dan lúkte.

Ik profiteerde zelf trouwens mee van haar succes, want ik kreeg veel aandacht van leuke vrienden van Rikzo. Tip 1, hoofdstuk één:

'Kijk rustig om je heen. Heb geen haast!
Hebben je vriendinnen verkering en jij niet? Laat je niet opjagen! Haast is een slechte metgezel op het liefdespad. Als je vriendinnen een vriendje hebben, laat dat in je voordeel werken. Al die vriendjes hebben vrienden. Fijn, die kun jij nu rustig leren kennen.'

Ja, vanaf nu ging ik het leven van de up-kant bekijken. En net toen ik wat rechterop ging zitten om mijn uppe levenshouding te benadrukken met een uppe lichaamshouding, kwam hij binnen.
Stof.

Ik vloog naar de wc. Hij had me nog niet gezien. In elk geval had hij niet gezien dat ik hém had gezien. Ik draaide de deur op slot en ging zitten. Wat nu? Gewoon blijven zitten tot hij weer weg was, er zat niets anders op. Ook al was dat tot vier uur vannacht.

Waarom eigenlijk?

Weenie.

Ik had het gevoel dat hij álles van mijn gezicht zou kunnen lezen. Hij mocht niet weten wat ik voor hem voelde. Ik spoelde mezelf nog liever door de wc het riool in om daar voor eeuwig in de poep te wonen.

En dat kleine hoopje dan, daar in dat verre verdomhoekje? Stel dat hij tóch niet met Pinkie was? Of dat het al weer uit was, omdat ze een vreselijke heks bleek te zijn als je alleen met haar was? Ja, waarom gaf ik het eigenlijk zo snel op? Alleen maar omdat zij 22 was, supermodellenmooi en ook nog supergetalenteerd?

Nou ja, dat waren natuurlijk wel goede redenen.

Na zo'n tien minuten werd er op de deur geklopt. 'Kiek, zit je daar?' Lottie.

'Ja.'

'Blijf daar zitten.'

'Waarom?'

'Je moeder is hier.'

'Wáááát? Niet.'

'Ik heb gezegd dat je bij Jurg was. Ze keek niet boos of zo, dus ik denk dat ze het gelooft.'

'Hoezo is ze hier?'

'Ze zit naast Stoffel. Ik ga terug, doei!'

Niet te geloven. Nu kon ik dus écht de wc niet meer uit, al had ik gewild. Wat moest ik doen hier, al die tijd?

Daar was Lottie weer. 'Kom er maar uit.'

'Huh?'

'Ze is weg.'

'Hè?'

'Wacht.'

Het werd weer stil. Toen kwam ze terug. 'Ik heb Stoffel gevraagd wat Yvonne hier deed. Ze hadden afgesproken. Hij had een elpee voor haar. Eén of ander muziekje waar ze naar op zoek was.'

'Maar waarom is ze dan al weer weg?'

'Geen idee. Ze moest meteen weer weg.'

'En Stofje zit er nog?'

'Ja. Kom nou gewoon tevoorschijn.'

'Dat kan niet meer. Ik zit hier al een kwartier of zo. Dan denkt hij dat ik een of andere enge darmziekte heb.'

'Kun je niet door het raam?'

'Er is geen raam.'

'Oké, dan moeten we een ontsnappingsplan maken.'

Ik gluurde om de hoek van de handenwasruimte het café in. Daar zat Lottie aan de bar, naast Stoffel, zoals we hadden afgesproken. Hij was ergens in verdiept. Dat moest de tekening van zijn contrabas zijn, die Lottie hem gevraagd had voor haar te maken op een viltje. Ik sloop achter ze langs, naar de deur. Nu werd het spannend.

Ik zou de deur opendoen, en Lottie zou net op dat moment zorgen dat hij niet meteen omkeek. Mensen kijken automatisch om als de deur opengaat, want ze willen weten wie er binnenkomt. Maar hij mocht pas een paar seconden later omkijken. Anders zou hij zien dat ik al binnen stond, voordat de deur helemaal open was.

'Hoe ga je dat doen?' had ik gevraagd.

'Weet ik nog niet,' antwoordde ze. 'Ik ga improviseren. Kan ik mooi alvast oefenen voor als ik op de theatercursus zit.'

Lottie stond zo aan de bar opgesteld dat ze mij kon zien. We seinden. Nu!

Ik trok de deur open. Ik propte me vliegensvlug naar buiten en toen weer naar binnen. Het kon me even niks schelen of anderen het zagen, je kon niet overál rekening mee houden. Maar niemand keek. Iedereen keek naar de vloer bij de bar. Daar lag Lottie.

Jezus, had ze niet gewoon een bierglas stuk kunnen laten vallen, of zo? Ze stond op, geholpen door Stoffel. 'Hé Kiek, daar ben je!' riep ze. 'Van buiten naar binnen. Kijk Stoffel, daar is Kiek. Ze komt net van buiten.'

'Hoi Kiek,' zei Stoffel. Meteen daarna keek hij weer bezorgd naar Lottie. 'Is alles goed? Dat is toch niet normaal, dat je zomaar valt?'

'Niet zomaar. Ik dacht dat ik op de barkruk ging zitten, maar ik zat ernaast.'

'Heb je te veel gedronken?'

'Nee. Ik heb een bril nodig.'

Goh. Dat ze dat allemaal voor mij deed. Naast de barkruk gaan zitten, dat was een blunder van hier tot aan Alaska. Nee, verder nog, tot aan Jupiter. En dat terwijl Rikzo een eindje verderop aan de bar stond en alles zag. Zo'n vriendin, dat was gewoon beter dan de hele wereld aan jongens en dat soort vage types. Ze offerde zich op om mij te beschermen. Ze –

'Ik ga weer daarheen, hoor!' zei Lottie en ze liep weg. Zonder te vragen of ik meeging. Hé, dit hoorde niet bij het plan.

'Was mijn moeder hier net?' vroeg ik aan Stofje. Ik durfde niet te gaan zitten. Als ik bleef staan kon ik hup, zo naar Lottie toe.

'Ja. Kwam je haar tegen?'

'Bijna. Wat deed ze hier?'

'O, gewoon, ik had een elpee voor haar opgeduikeld. Die heb ik haar gegeven.' Hij zei het slapjes, alsof hij het nut niet zag van daarover praten. Het was ook niet erg interessant natuurlijk.

'Ben je hier verder alleen?' vroeg ik.

'Eh... ja, hoezo?'

'O, gewoon. Ik had gedacht: Pinkie. Jullie zijn toch eh...' Volgens mij kwam het er tamelijk normaal uit. Hij kon gelukkig niet in mijn buik kijken, waar al mijn ingewanden werden samengekneed tot één grote bal. 'Samen, of zo?

'Hè? Hoe kom je dáárbij?'

Het mooie van clichés is: ze zijn waar. Anders waren het geen clichés. Clichés zijn van die afgezaagde opmerkingen die iedereen al duizend keer heeft gebruikt. Maar iedereen gebruikt ze duizend keer, omdat ze wáár zijn. Ik bedoel: nogal logisch dat je zegt dat de hemel openbreekt als de hemel inderdaad openbreekt.

De hemel brak dus open. Zonnestralen vielen naar beneden, als gouden en zilveren gelukslinten die mij met zachte strelingen bedekten.

Rustig blijven, rustig. Misschien keek hij wel zo sip omdat hij haar wilde, maar zij hem niet. Misschien had hij haar wel zijn liefde verklaard en had zij hem keihard uitgelachen en was hij hier om zijn verdriet weg te drinken.

'O, ik dacht... jullie leken zo, hoe heet dat, close.'

'O ja?' Hij staarde in zijn bier en zei ineens 'aha', alsof hij in het glas de oplossing had gevonden.

'Wat?'

'Ik bedenk iets.'

'Iets leuks?'

'Misschien.' Hij liet verder niets los, maar leek een klein beetje opgewekter.

Ik ging zitten. We praatten. Over school, over mijn moeder, over mijn vader, over Stoffels opleiding, over New York, over zijn basgitaren. Hij had er meerdere. Ik zei dat ik ze wel eens wilde zien. Hij zei dat dat wel mocht. Zijn kamer stond er vol mee. Eigenlijk was één kamer niet genoeg, voor hem en al zijn instrumenten. Toen ging hij naar de wc.

Lottie stond zeven stappen bij me vandaan, dat was natuurlijk te ver om te lopen. Ik stuurde een bericht: `Stof is niet met pinkie!!!`

Lottie: `Tof! Jij en stof. Forever lov.`

Sommige mensen geven licht. Stofje was zo iemand. Als je bij hem was, werd je zelf ook door hem beschenen. Ik voelde me lichter als ik naast hem zat. Of stond.

Of lag.

Misschien. Hopelijk. Ooit.

'We zijn uitgenodigd voor een feest,' zei Lottie, die net onze kant op gehuppeld was. 'Jij en ik. Vrijdag, in de Koekjesfabriek. Rikzo en nog een paar mensen geven het. Die zijn allemaal jarig in de zomer.' De Koekjesfabriek was natuurlijk geen koekjesfabriek. Niet meer, tenminste. Het was een pand waar mensen een werkplek huurden en waar soms ook feesten waren.

'O, eh… ik weet niet.'

'Je gaat,' zei Lottie. 'Jij gaat toch ook, Stoffel? Rikzo zei dat jij ook kwam.'

'Joâw, ik ga denk ik wel even kijken.' Hij zei het achteloos, alsof ik niet moest denken dat hij té geïnteresseerd was nu ik ook kwam. Ha. Jongens deden ook zulke dingen. Misschien was er ook een boekje voor jongens. Hoe zou dat heten? *Kus geen heksen, verover je prinses?*

Zo. Nu moest ik even héél diep ademhalen. Ik ging iets doen. Iets dappers. Iets wat nog maar weinig verliefde meisjes vóór mij hadden gepresteerd in de geschiedenis van de liefde, vanaf de oertijd tot nu.

Adem in, adem uit.

'Ik ga naar huis,' zei ik, en ik liet mezelf van de barkruk glijden.

'Hè?' Lottie keek me aan alsof ik compleet krankjorum was geworden. 'Nee hoor. We blijven nog.'

'Jij misschien, ik niet.' Ik keek haar aan. *De kikker*, zei ik met lipbewegingen, zonder geluid.

Groot vraagteken op haar voorhoofd. Ze wees onopvallend naar Stofje. Hij kikker? lipte ze.

Neeee! Waarom snapte ze het nou niet? 'Hoofdstuk vier,' zei ik hardop. 'Hannelore.'

Stoffel leek meer geïnteresseerd in zijn nieuwe biertje dan in ons gesprek en vroeg niet wat ik met hoofdstuk vier bedoelde en wie Hannelore was.

Lottie snapte het, zag ik aan haar gezicht. Dat zou tijd worden. Lottie had een beetje last van jongensverdomming. Als ze met een jongen bezig was, was het net alsof ze minder slim werd. Alsof ze dingen van óns opeens niet begreep, dingen die ze normaal wel begreep. Wij snapten alles van elkaar! Wij waren wij!

Lottie sloeg een arm om mij heen. 'Oké, zeg maar dag tegen Stoffel.'

'Dag,' zei ik.

'Dag,' zei Stoffel. Hij keek op van zijn biertje en toen weer naar beneden.

Lottie trok me mee naar de andere kant van de bar, waar zij al die tijd had gestaan met Rikzo en een paar van zijn vrienden. 'Je hoeft toch niet meteen naar huis te gaan vanwege hoofdstuk vier?' vroeg ze. 'Je kunt ook bij ons komen staan.'

'Ja, maar hoofdstuk vier geldt ook voor jou, hoor. Juist voor jou. Jij zou alles toch precies volgens het boekje doen? Misschien moeten we allebei naar huis.'

'Hij zít al achter me aan. Dat is allemaal geregeld. Ik ben nu bij hoofdstuk vijf.'

'Wat is hoofdstuk vijf ook al weer?'

'De pruillip.'

Die pruillip was met een vette knipoog bedoeld.

Dat zei Lottie. Maar ik vond het belachelijk, nog steeds. Ook al legde Hannelore het in de rest van het hoofdstuk uit, en verderop ook nog.

Waar ze gelijk in had was dat de meisjes die het meest verveeld keken vaak de meeste aandacht kregen van de populaire jongens. Maar volgens mij was dat niet vanwége die pruillip, maar juist andersom: ze kregen veel aandacht en dáárdoor raakten ze verwend en verveeld en gingen ze pruilen. Daar had Hannelore waarschijnlijk niet aan gedacht. Ik nam me voor om dit aan haar te mailen. Dan kon ze het in haar volgende boek zetten.

Volgens Hannelore sloven prins-jongens zich graag uit voor de prinses op de erwt. Ze doen alles om haar te behagen. Waarom? Omdat de erwtprinses de indruk wekt dat ze moeilijk te krijgen is. En jongens houden van meisjes die ze moeilijk kunnen krijgen.

Lottie en ik stonden nu bij het vriendengroepje van Rikzo. Ik trok Lottie iets mijn kant op, zodat Rikzo ons niet kon horen. 'Hannelore heeft het fout,' zei ik. 'Echt. Jongens hebben juist een verschrikkelijke hekel aan meisjes die pruillipjes trekken. Daar worden ze kotsmisselijk van.'

'Ja, dat is zo,' antwoordde Lottie. 'Sommigen. Dat zijn de jongens voor wie de pruilmeisjes toch al onbereikbaar zijn.' Hannelore waarschuwt in een later hoofdstuk dat je die pruillipjes niet moet blijven trekken. Als de prins eenmaal is gevangen, wekken pruillipjes irritatie op. Het pruillipje mag alleen in de veroveringsfase. Daarna is een prinsesje dat zeurt over een erwt onder twintig moeizaam aangesleepte matrassen opeens een stuk minder aantrekkelijk. Ooit moet je normaal gaan doen, zegt Hannelore, dat wil zeggen: niet-aanstellerig. Anders knapt hij alsnog op je af.

Hoe dan ook: Lottie vond dat ze nu in hoofdstuk vijf zat.

'Je gaat wel snel door de hoofdstukken heen,' zei ik. 'Dit is pas de tweede keer dat je Rikzo ziet. Je was zonet nog bij hoofdstuk vier. Jullie hebben nog niet eens een afspraakje gehad.'

'We hebben vrijdag een afspraakje. Het feest.'

'Je gaat toch niet met hém naar zijn eigen feest?'

Lottie keek me bozig aan, alsof ik haar blije gevoel probeerde te verpesten. 'Nee, ik ga met jou. Maar hij heeft me toch gevraagd? Dan is het een afspraakje.'

Ik zei maar niet dat hij dan ook een afspraakje met míj had, want hij had mij ook gevraagd. 'Ik bedoel alleen maar: je gaat nogal snel.'

'Als het goed voelt, gaat het nu eenmaal snel. Zo is de liefde.' Ze keek er oud en wijsneuzerig bij, alsof ze praatte vanuit jarenlange liefdeservaring.

Rikzo draaide zich naar ons toe. 'Wil je nog wat drinken?' vroeg hij aan Lottie.

'Hm.' Lottie zuchtte, draaide half weg en trok haar schouders op. 'Mag wel,' zei ze.

'Betekent dat ja of nee?' vroeg Rikzo aan mij.

'Dat betekent: ja, graag,' zei ik.

'Jij ook?'

'Ja, graag.'

Ik wilde het niet, maar moest toch wel een beetje bewondering voor Lottie hebben, zo snel als ze haar gedrag wist aan te passen. Wat alleen heel vervelend was, dat vond ik tenminste, was dat het leek te werken. Ik wilde niet dat het werkte. Je kunt toch geen pruillipjes aanraden in een boek en dat dat dan ook nog werkt? Ik werd er kwaad van. Ik kreeg zin om Hannelore met haar boek op haar hoofd te meppen.

Bah.

Was het nu de bedoeling dat ik ook pruillipjes naar Stoffel ging trekken? Bekijk 't, hij zou me zien aankomen.

Ik hield hem natuurlijk goed in de gaten. Hij praatte wel met mensen, maar hij keek nooit echt vrolijk. Dat was een goed teken. Misschien was hij ontmoedigd, omdat ik zomaar weg was gegaan. Ha, mooi zo.

Of zou dat weggaan juist verkeerd zijn? Dat hij nu dacht dat ik hem toch niet écht leuk vond? Dat ik liever bij Rikzo,

Diede en de andere jongens was? Na vijf bier zou hij me vast vergeten zijn. Dit was al de vijfde, die hij dronk.

'Ik ga naar Stoffel,' zei ik.

Lottie trok me aan mijn shirt terug. 'Denk aan vrijdag. Als je nú hoofdstuk vier volhoudt, ben je op het feest toe aan hoofdstuk vijf.'

Het feest. Daar moest het gebeuren. Daar ging het gebeuren. Het was een kans zoals ze niet de hele tijd voorbijkomen. Kansen zijn er om gegrepen te worden.

Onze eerste zoen zou plaatsvinden in de Koekjesfabriek. O, die Koekjesfabriekzoen... ik ging er beslist een liedje over schrijven. Het werd een wereldhit. En later vertelde ik over de zoen aan onze kleinkinderen. Ze vonden het een prachtig verhaal. Ze hadden nog nooit zoiets romantisch gehoord. Wie wel?

Ik had een seksboekje. Een boekje over seks, bedoel ik. Mijn moeder had het ongeveer een jaar geleden aan me gegeven. 'Ik ben wat laat met het gesprek,' zei ze. 'Je wilt er natuurlijk niet meer met je moeder over praten, nu je al veertien bent. Maar hier staat alles in.'

'Heb jíj er ooit over gepraat met je moeder?' vroeg ik.

Ze lachte een schrille lach, zoals wel vaker als oma ter sprake kwam. 'Mijn moeder weet nauwelijks wat dat is, seks. Toen ik ongesteld werd, kreeg ik een pak maxi-maandverband in mijn handen gedrukt en dat was het. Ik wist niet eens wat ik ermee moest doen.'

'Het is toch logisch, wat je ermee moet doen?'

'Ja, dat zou je denken, maar ik was totaal in shock vanwege dat bloed. Ik had wel even een geruststellend woord gewild, of zo. Ik heb een jaar lang dat maandverband los in mijn onderbroek gehad, waardoor het steeds verschoof en ik weer doorlekte. Ik wist niet dat er een plakstrip op zat. Dat je het papieren strookje eraf moest trekken. O, en die dingen die mijn moeder kocht waren zó dik, het was alsof je een luier droeg.'

Toen ík ongesteld werd, ik was twaalf, legde mijn moeder inderdaad wel iets uit. Maar zoveel viel er niet uit te leggen. Ik leerde hoe ik de plakstrip van het verband moest trekken – dat was niet vreselijk moeilijk –, hoe ik het maandverband moest indoen, hoe ik ongeveer een tampon moest inbrengen, ze vertelde dat ik buikpijn kon krijgen en als ik pech had nog meer soorten pijn, en dat de menstruatie ook betekende dat ik vanaf nu zwanger kon worden. Maar daarvoor moest ik eerst seks hebben en dat zou natuurlijk pas over jááááren gebeuren en dan moest ik ook nog onveilige seks hebben en dat zou natuurlijk nóóit gebeuren. Ze zou me binnenkort van alles over seks vertellen. Nu nog niet, nu was het nog wat vroeg.
Geen geruststellend woord te ontdekken.

In dat seksboekje stond alles beschreven wat met seks te maken had. Geslachtsziekten, condooms en andere voorbehoedsmiddelen, maagdenvlies, pijn, ongewenste zwangerschap, abortus; de nadruk lag nogal op problemen. Waarschijnlijk bestonden er ook vrolijker boekjes over het onderwerp, maar ik denk dat mijn moeder dit boek met opzet had uitgekozen, om me bang te maken. Niet om te pesten, ze wilde denk ik gewoon niet dat ik ook zo snel zwanger zou worden als zij. Ze dacht misschien dat zo'n saai en somber boek mij daartegen zou beschermen.

Ik had het boek vorig jaar gelezen en nu las ik het weer. En het maakte me wéér niet veel wijzer. Niet over seks zelf, tenminste. Wel over van alles eromheen. Ik liet het boek expres op de tafel liggen, zodat mijn moeder het zou zien. Ik wilde er niet met haar over praten en toch ook wel.

Tijdens het eten lag het boek nog steeds op tafel. Ze had het zeker gezien, maar zei er niks over.

Ik wees ernaar, terwijl ik mijn macaroni wegkauwde. 'Dat boek. Het is wel wat negatief.'

'Hoe bedoel je, negatief?'

'Het gaat bijna alleen maar over problemen.'

'O. Is dat zo?'

'Ja. Seks is toch niet alleen maar problemen?'

'Nou ja, de leuke kanten ontdek je vanzelf wel. Het belangrijkste is dat je niet dezelfde fouten maakt als ik. En om dat te bereiken moet ík niet dezelfde fouten maken als míjn moeder. Ik ben er dus open over.'

Ik vroeg of ze met 'fout' bedoelde dat ík een fout was. Ik was namelijk het resultaat geweest.

'Nee, natuurlijk niet,' antwoordde ze. 'Maar zoals ik mij gedroeg toen, dat was fout.'

'Wat deed je dan?'

'Te veel drinken, te veel uitgaan, te veel... me op één bepaalde jongen storten.'

Ze bedoelde Ron. Ze zei zijn naam liever niet.

'Had je je dan beter op allerlei andere jongens kunnen storten?'

'Je kunt je beter op jezelf storten. Op je vriendinnen. Je school. Je opleiding. Maar ik weet dat meisjes van vijftien dat niet willen horen.'

Ik werd niets wijzer van dit gesprek. Misschien kwam dat omdat ik zelf niet goed wist wat ik eigenlijk wilde weten. Nou ja, ik wist het wel. Ik wilde weten hoe je dat deed, seks hebben met een jongen. Hoe dat ging. Wat je allemaal moest doen. Dat vraag je niet aan je moeder. Maar aan wie dan wel? Het grootste probleem leek me dit: het 'apparaat'. Het jongensding.

Ik wilde een gebruiksaanwijzing, zoals je die ook bij andere apparaten krijgt.

1. Stop de stekker in de stekkerdoos;
2. Druk op *play*;
3. Het apparaat is in werking getreden. Is er sprake van een hapering, neem dan direct contact op met uw leverancier. Het probleem wordt zo spoedig mogelijk opgelost.

Wat te doen met Jurg? Ik kon gewoon tegen hem zeggen wat er aan de hand was. Stofje was aan de hand. Maar de bewaker van het keelpoortje werkte niet mee. Hij gooide de poort op slot zodra bepaalde woorden erlangs probeerden te komen.

Ik kon de boodschap intypen en naar hem sturen. Maar dat was laf. Moest je ze horen op school, als iemand het zo uitmaakte. Dat ging de hele school rond. Iedereen vond er iets van. Dat kón gewoon niet! Terwijl iedereen het zelf deed als het zo uitkwam.

Misschien kon ik het langzaam laten doodbloeden. Of, en dat was misschien de beste manier, wie weet kon ik het zo uitleggen dat het leek alsof ik er niets aan kon doen. En vooral níét zeggen dat ik Stofje leuker vond dan hem. Dan was het niet zo pijnlijk.

Alleen... hoe doe je dat?

Donderdagavond keken we naar een film in de bioscoop. Dat wil zeggen: er waren bewegende beelden, maar verder heb ik niets gezien. Ik was alleen maar bezig met het gesprek daarna. Wat ging ik zeggen? Hoe ging ik het zeggen? Wat zou híj zeggen?

Toen we terugliepen naar zijn huis, begon hij zelf: 'Wat is er? Je bent zo stil.'

'O, ben ik stil?'

'Ja, je bent stil de laatste tijd. Vind ik.'

Oké. Tijd. Voor de speech. Dit was het moment. We liepen. Als je wat te doen hebt, zoals lopen, is het makkelijker om moeilijke dingen te zeggen. En ik hoefde hem niet aan te kijken. Daar ging-ie dan:

'Ja nee ik weet niet wat er is er is van alles ik voel me niet zo goed want het is zo ingewikkeld en dan weet je ineens niet meer wat je wilt en dat voelt heel rot ja echt hééél rot en ik zit gewoon ook wat raar in elkaar daar kom ik wel achter van dat je jezelf dan ook niet meer begrijpt en dat is heel verwarrend want soms wil ik ineens zomaar opeens bepaalde dingen niet meer dus dat dat dan afgelopen is en als ik het niet snap hoe moet jij het dan snappen en dat is voor jou natuurlijk ook niet leuk en als ik het dan niet meer weet dan weet ik ook niet wat ik moet zeggen en dan zeg ik maar niets maar nu dus wel. En. Maar. Dus. Snap je?'

Ik voelde mijn hart tegen mijn ribben bonken. Hoe zou hij het opvatten? Zou hij boos worden? Zou hij me niet meer willen zien? Ik wilde dolgraag vrienden blijven, want hij was een van de leukste jongens die ik kende, ik moest er niet aan denken dat ik hem kwijt zou raken. Maar je moest bij het uitmaken nooit zeggen dat je vrienden wilde blijven. Later wel. Maar als je het meteen zei, dan maakte je het nog erger voor die ander.

Het was even stil.

'Ik snap het niet,' zei hij.

'Nee, ik ook niet. Het is gewoon moeilijk. Dat is nou juist het moeilijke.'

We kwamen bij zijn huis. Ik liep naar mijn fiets, die tegen de muur stond.

'Ga je meteen weg?' vroeg hij.

'Ja, dat lijkt me wel. Voor nu.' Ik stak de sleutel in het slot. Het tsjakte open.

De fiets was los.

De weg vrij.

'Oké. Zie ik je,' zei hij.

Ik stapte op. Maar voor ik weg kon fietsen, deed hij opeens twee stappen in mijn richting en kuste me.

Ik was zo perplex dat ik hem terugkuste. Hij sloeg zijn armen om me heen. Ik sloeg de mijne niet om hem, dat kon niet, want ik had het stuur vast.

Gewoon een afscheidskus, natuurlijk. Het was een goed teken dat hij dat nog wilde. Het betekende dat hij niet heel boos was, of zo.

Het was alleen wel raar dat hij niet ook een béétje verdrietig leek. Dat was vast iets van jongens, doen alsof er niets aan de hand is.

We keken elkaar nog een keer diep in de ogen. Toen fietste ik hard weg.

'Doe!' riep hij.

Ik huilde een beetje. Ik miste hem nu al. Maar het was beter zo. Al Stofje er niet was geweest, had ik het nog een tijdje aan kunnen houden, want ik was heus wel gek op hem. Maar ik kon moeilijk op twee jongens tegelijk verliefd zijn. Zo. Klaar. Net op tijd. Morgen was het vrijdag. Stofjesdag.

Stel dat we verder zouden gaan. Meteen al. Dat was mijn grootste zorg. Ik was natuurlijk wel ietsje jonger dan hij. Hij wist alles al. Ik wist niets. Zo weinig in elk geval dat mijn moeder er tevreden over zou zijn. Dat mocht hij natuurlijk niet weten. Hoe zorgde ik dat ik heel zelfverzekerd overkwam, alsof ik precies wist wat ik deed, terwijl ik helemaal níét wist wat ik deed? Moest ik hem gewoon de leiding laten nemen en zelf niks doen? Ik wilde niet zo'n volgzaam, nietsdoenerig meisje lijken. Een vrouw wilde ik zijn. Een vrouw die dingen wéét.

'Misschien gaat alles wel vanzelf,' zei Lottie. 'Dat je helemaal niet hoeft na te denken.'
We waren bezig ons aan te kleden voor het feest. Ik ging die avond bij Lottie slapen. Met Lotties moeder kon je een stuk gemakkelijker onderhandelen over de thuiskomtijd dan met mijn moeder.
'Maar wat als dat niet zo is?'
'Natuurlijk is het zo. Waarom denk je dat het zoveel mensen lukt om seks te hebben? Het lukt iedereen. Behalve... nou ja, mannen met penisproblemen.'
We schoten tegelijk in de lach. Penis. Wat een debiel woord. Eigenlijk waren alle woorden die met seks te maken hadden debiel, behalve het woord seks. Dat was gewoon. Maar voor de rest... Er bestaan wel duizend woorden voor seks hebben en voor alle lichaamsdelen die daarbij betrokken

zijn. Mensen blijven steeds zoeken naar een woord dat níét debiel klinkt. Gelukkig hadden we nu 'zazazorium', dat was goed. Ik bedacht dat we het naar het woordenboek moesten opsturen, dan konden ze het erin zetten.

'Misschien gaat seks vanzelf als je echt van elkaar houdt,' zei ik.

Lottie hees zichzelf in een leuk wapperrokje. 'Wat vind je hiervan?'

'Ja, leuk. Doen.'

'Is het niet te... onsexy?'

'Nee, het is juist leuk, vrolijk. Vrolijk is goed. Dan lijk je ook niet... teveelwillend.'

'Hm.' Ze keek peinzend naar mij en daarna weer in haar kledingkast.

Ik was niet zo van de rokjes, maar had er deze keer toch één aangetrokken, ook een wapperrokje. Als je danste, zwierde het leuk in het rond, en dat moesten we hebben.

Ik bedacht pas later dat ik dat misschien vond omdat Pinkie ook een fladderrokje had aangehad. En wie wilde er niet op Pinkie lijken?

Lottie niet. Die trok haar fladderrokje uit en schoof een strak minirokje om haar bovenbenen. Het stond super. Wel érg sexy, maar ja, dat moest ze zelf weten.

Ik voelde me wat bravemeisjesachtig naast haar.

'Eén uur thuis,' zei Lotties moeder.

Lotties mond viel wijd open, haar ogen werden groot als sambaballen. 'Hè? Wát? Eén uur, mam, dat kan echt niet. Dan begint het net een béétje leuk te worden. Jemig zeg, hallo, dan kunnen we dus net zo goed niet gaan.'

Haarscherp kwam hier het verschil tussen Lotties moeder en

die van mij naar voren. Mijn moeder zou zeggen: dan ga je niet. Ook goed.

Lotties moeder zei: 'O. Hoe laat is dan redelijk?'

'Vier uur,' zei Lottie.

'Ja hoor eens, dat is me echt veel te laat. Drie uur dan. En samen fietsen. Of een taxi nemen, die betaal ik dan wel.'

'Pff, nou ja, vooruit dan maar.' Lottie kreeg weer even de kans om haar pruillip te oefenen.

Toen haar moeder zich omdraaide, drilboorden we onze vuisten door de lucht terwijl we sprongetjes maakten zonder van de grond te komen. Drie uur! En als we dan om vier uur thuiskwamen, waren we maar één uur te laat. Dat was nog wel te doen, qua preken en gedoe.

'We moeten wel even indrinken,' zei Lottie toen haar moeder zich had teruggetrokken voor haar avondmeditatie. Ze keek in de kast. Geen bier, alleen whisky en cognac. Dat was nog veel smeriger dan bier. Ze keek in de koelkast. Niks.

'Aha,' zei ze ineens. 'Driesteen!'

Driesteen was Lottie-en-Kieks voor 'briljant idee'. Eerder noemden we het vaak een Einstein-moment. Dat werd Eén-steen, in de Nederlandse vertaling. Maar soms waren onze ideeën duidelijk beter dan die van Einstein. Dan zeiden we Tweesteen of Driesteen. Het Lottie-en-Kieks was een taal die zich steeds verder ontwikkelde.

Lottie trok de deur van de vriezer open en pakte er een fles uit met knalgele drank. 'Hebbes!'

Daar gingen we, op de fiets, de monden nog strakgetrokken van het mierzoete drankje, de liefde tegemoet.

'Limoncello is bello!' riep Lottie door de straat.

'Eh... Yo, dat is zo!' riep ik, want iets leukers kon ik niet bedenken.

Op een of andere manier wisten we dat deze avond belangrijk was. Dat we ons deze avond voor altijd zouden herinneren. En nu gingen we hem beleven, de avond. Nu, het gebeurde allemaal N U.

De lucht trilde van verwachting. De hemel, de aarde en alles ertussen stonden bol van het leven. En het leven, dat waren wij.

Hij was er niet. Het was al halfeen en hij was er nóg niet.

'Neem gewoon iemand anders,' zei Lottie. Zij had al gezoend met Rikzo. En misschien wel meer dan dat, want ze was al twee keer met hem buiten geweest.

'Hoofdstuk zes, hoofdstuk zes!' zei ik tegen haar. Ze keek me lodderig glimlachend aan, alsof ze geen idee had waar ik het over had, maar me wel lief vond.

'Laat hem wachten en smachten,' zei ik, toen Rikzo weg was om bier te halen. 'Toch?'

'Dat héb ik gedaan,' antwoordde ze. Hij heeft enorm gewacht en verschrikkelijk gesmacht.

'Hoe lang dan?'

'Een halfuur!' Ze spoot van de lach wat spetters spuug op mijn arm. Ik had het normaal ook heel grappig gevonden, maar nu niet. Ik had geen zin in grappig. Ik had geen zin in wat dan ook. Alle zin was uit me weggedropen.

'En ik ga niet verder, hoor. Tot hier en niet verder.' Ze trok een denkbeeldige lijn langs haar middel. 'Ik doe het precies volgens het boekje, wees maar niet bang. We hebben nog maanden voor we zestien zijn.'

'Ik heb tot aan 2095.'

Ze sloeg haar armen om mij heen. 'Niks ervan. Contract is contract. Neem nou gewoon een andere jongen. Die Stoffel is heus niet de enige knul op de wereld. Diede vindt jou leuk, volgens mij. En Ivo ook. Kies maar.'

Rikzo kwam eraan, met twee flesjes bier. 'O, eh... wou jij ook?' vroeg hij. Ik knikte en nam het bier van hem aan. Hij liep weer weg.

'Hij was mij vergeten,' zei ik. 'Het is blijkbaar heel makkelijk om mij te vergeten. Ik ben heel makkelijk vergeetbaar.' Ik goot bier in mijn mond.

'Nee hoor, niet. Jij bent heel gemak-k-k-k-kelijk... rare letter hè, die k. Hoor: k, k, k.' Ze begon steeds vreemder te praten, door het bier. Ik niet. Ik praatte nog totaal gewoon.

'Zij praat raar, ik praat gewoon,' zei ik tegen Diede, die bij ons kwam staan.

'Nou, niet helemáál gewoon.'

'Ik praat gewoon,' riep ik, en ik trok Rikzo aan zijn shirt. Die was net weer teruggekomen, met extra bier. 'Geeft niet, je hebt gewoon gedronken,' zei hij.

Ik ging naar de wc om mezelf te zien praten in de spiegel. Was er echt iets te merken aan mij? Ik geloofde er niks van. 'Jij praat heel gewoon, meisje,' zei ik tegen de spiegel-Kiek. 'Leuk meisje! Jij. Oeps.'

Ik hurkte en keek onder de wc-deuren door. Geen voeten. Pfjoew! Ik stond op, wankelde, hield mezelf vast aan de wasbak en veegde denkbeeldig zweet van mijn voorhoofd. Had ik bijna mooi voor lul gestaan. Lul. Stuf-stef-staf. Stif. Godver.

Er kwam een meisje binnen. 'Wat zijn jongens lullen, hè?' zei ik.

Ze glimlachte en haalde een lippenstift uit haar tasje. Een tasje. Ik had geen tasje. Dat was wat er mis was met mij! 'Ik heb geen tasje!' riep ik.

Dat ik nu pas doorhad hoe belangrijk het was, een tasje. Zonder tasje was je niets. Ik moest weg hier, naar Lottie. Vertellen over het tasje. Uit wc. Lopen, lopen. Ik moest... Hé, waar was mijn flesje? Terug. Draai om. Boink. Kedeng. Stof.

'Hé Kiek!' Hij was blij om mij te zien. Hij straalde helemaal, van pure blijdschap dat hij mij zag.

Normaaldoennormaaldoennormaaldoen. 'Hoi, ik doe normaal,' zei ik.

'Hè?'

'Jij was niet hier.'

'Hè, hoezo?'

'Niks. Ik ga even naar... daar. Normaal doen. Ga ik.'

Ik liep in een verschrikkelijk rechte lijn naar Lottie. Helemaal recht. Zie je wel, ik was niet dronken.

'Ja, ik heb hem gezien,' zei Lottie toen ik was aangekomen. 'Ga anders even kotsen, vinger in je keel, dan voel je je daarna beter.'

'Ik voel me niet slecht. Niet. Ik ben helemaal gelukkig. Ik ga zo met hem dansen.'

'Ik weet niet, je bent niet helemaal... stabieltjes.'

'Stabieltjes?' Ik schoot in een dubbelklapper. Lottie ook. Samen klapten we dubbel. Wat was het leven prachtig, met je beste vriendin, je mooiste feest en je liefste liefste binnen handbereik. Effe geen bier meer. Water. Fris worden. Misschien dansen, dan zweette je de alcohol zo je lichaam uit. Met zwierrokje.

Soepel en sexy bewoog ik me over de dansvloer. Woewoewoe! Niemand hield me tegen, de wereld was van mijmijmij. Wel jammer dat iedereen de godganse tijd in de weg stond, jemig, rot op, ga aan de kant als je niet eens normaal kan dansen. En dan kijken ze míj geïrriteerd aan!

Opeens werd mijn arm omklemd.

'Kiek, kom eens mee.'

'Stufjestafjestofje.' Ik liet me zachtjes tegen hem aan vallen. Hij pakte nu ook mijn andere arm vast en duwde me voorzichtig weg van de dansvloer. Hij liep dicht tegen me aan. Hij wilde me nooit meer loslaten. 'We gaan nooit meer loslaten,' zei ik. 'Loslaten is stom.'

'Héél stom. Kom.'

'Jaarrgh! Dat rijmt! Stofje-stufje-rijmelsnufje. Je bent goed, hoor. Ai-lufje-stufje.'

Zijn handen waren sterk en gespierd. Dat kwam van al dat bassen. Je moest stevige snaren bespelen, op de bas. Ik hoefde niks te doen, mijn benen bewogen vanzelf en verder regelde hij alles.

'Ik ga een liedje maken,' zei ik. 'Over de eerste dinges. Hoe heet dat, met van die tongen en zo? O ja, tongen. Dat heet tongen. Wist jij dat?'

We stonden buiten. 'Even zitten,' zei Stofje. 'Daar. Kom.' Hij hield me nog steeds innig vast. Wat was het onbeschrijflijk fijn in zijn armen. Mooier, zoveel mooier dan ik had gefantaseerd.

'Echt is mooier dan fantasie,' zei ik. 'Ik... ik... ik.' Ik wilde me helemaal aan hem overgeven. Er was niks fijners in de wereld dan me aan hem overgeven.

Hij leidde me naar een soort binnenplaatsje aan de zijkant

van het gebouw. Er stonden twee banken. Niet van die park-
bankjes, maar echte, zoals in woonkamers staan.

Alles werkte mee. Zelfs de banken werkten mee, door er te
staan. Dat verzin je toch niet? Het kon geen toeval zijn. Het
stond in de sterren, het was allemaal voorbestemd. Geregeld
van bovenaf.

Stofje duwde me voorzichtig op de bank en bleef zelf staan.
'Ga je bier halen?' vroeg ik. Romantisch samen, met bier.
Op de bank. Onder de sterren. Jong zijn en verliefd, dat was
het mooiste wat er was. Oude mensen, gatver, wat zielig.
Eigen dikke bult, hadden ze maar niet oud moeten worden.
'Jij krijgt niks meer,' zei Stof.

'Huh? Waarom niet? Ik voel me fantistas. Fantas... Jemig,
wat ben je streng! Kom eens.' Ik klopte op de zitting naast
me.

Stofje ging zitten. Ik keek hem aan. Sjeesjes, wat was hij
mooi. Knap. Lief.

'Sjeesjes,' riep ik.

'Zeg dat wel,' antwoordde hij. Hij keek me diep in de ogen.
Hij keek zo diep dat zijn blik me aanraakte op plekken waar
ik nooit was aangeraakt. Waarvan het bestaan me onbekend
was. En in die aanraking stond alles stil. Niet alleen ik en
hij, de hele wereld stond stil en hield zijn adem in.

Toen zuchtte hij. 'O Kiek,' zei hij. Hij sloot zijn ogen. 'Ik...'
Dit was te veel. Misschien had ik moeten wachten, het moment rekken, maar wachten lukte niet meer. De liefde nam
het over en voerde me mee. Mijn lichaam bewoog zich als
vanzelf naar hem toe, kroop op hem, streelde zijn hoofd,
zijn haar, zoende hem en zoende hem, meer, meer, meer.

Het duurde uren. Misschien dat anderen zouden zeggen dat
het hooguit een paar seconden waren, maar anderen be-

stonden niet en ik weet dat het uren waren. Lichtjaren. En in die lichtjaren veranderde ik. Meisje werd vrouw. Als je je bemind weet, geliefd door je geliefde, verandert er iets, diep vanbinnen. Er bestond geen Kiek meer, los van hem.

Elektrische straling schoot door mijn lijf, van mond naar borsten naar het zazazorium en terug en heen en terug, heen, terug... Ik wreef mezelf over hem heen, smeerde hem met mij in. Ik kroop in hem, dieper, dieper, de grenzen verdwenen, totdat we samengekneed waren tot één lichaamsbal, één hart, één ziel.

Er verhardde iets onder mij. Precies op de plek waar dat ook hóórde te gebeuren. Ik voelde het. Er stootte een scheilgeut door mijn lichaam. Zjieoef! En nog een. En –

'Kiek, wat doe je?' Hij pakte me vast en duwde me omhoog, van zich af.

O shit, ik was te snel gegaan. Shit. O shit. Hoe kon ik het terugdraaien, goedmaken, wegpoetsen? 'Sorry.'

'Geeft niet, maar –'

'Oké, we doen het langzamer.' Ik lag nog steeds op hem en bewoog mijn mond weer naar de zijne.

Hij pakte me nu steviger vast. 'Kiek, ga weg!'

Hè?

'Ga van me af. Kom op. Hup.'

Er klopte iets niet. Waarom zei hij dat? Waarom zei hij niet: Kiek, ik ben zo gek op jou. Kiek, ik hou van jou. Kiek, kom hier en kus me diep.

Hij hapte naar adem, zag ik. Hij leek van slag. Wat was er gebeurd? Ik bedoel... wat was er aan de hand?

'Gaan we te snel?' vroeg ik. 'Haal even iets te drinken, dan beginnen we opnieuw.'

'Nee, we beginnen niet opnieuw. Kiek, ik...' Hij duwde me

nu met kracht van zich af. Met een plof belandde ik naast hem op de bank.

Een kille wind drong via alle gaten mijn lichaam binnen.

Er was iets.

Ik had het fout.

Hij wilde niet. Stofje. Niet. Hij zei: 'Ik... nee. Shit. Kut. Dit. Hoe kom je erbij?'

'Ik snap niet. Je wilde... jij ook. Toch?'

'Nee, niet. Waarom dacht je dat?'

Duizendenéén gedachten schoten door mijn hoofd. Stukjes herinnering. De tekenen die ik had gezien, de signalen die hij had uitgezonden. Die had hij toch uitgezonden?

'Ach, laat ook maar, het doet er niet toe.' Stoffel keek me aan, met kleine, zwarte ogen.

Ik trok mijn benen zo dicht mogelijk tegen mijn lichaam en sloeg mijn armen eromheen.

'Ik snap het niet,' ging hij verder. 'Ik dacht... Het was toch duidelijk dat ik... Ik dacht dat jij het ook wist. Dat het eraf droop.'

'Wat?'

'Dat ik... verliefd ben. Niet op jou, ik bedoel... dus, maar...'

Ik weet niet of hij doorpraatte. Mijn handen sloten zich om mijn oren. Mijn voorhoofd tegen mijn benen. Niets zien, niets horen, niets weten, niets voelen.

Niets voelen is helemaal niet zo moeilijk. Je schakelt alles uit. Het is niet gebeurd.

Alles is dan heel goed te verdragen. Je bent in de schemerzone, daar waar de zombies en de ondoden zijn. Misschien ook de drugsverslaafden.

Deze toestand van schemerleven duurde maar kort, een minuut of twee, denk ik. Toen was het weer wél gebeurd en kon ik de schakelaar niet meer vinden.

Ik kan me weinig herinneren. Ik weet dat Lottie bij me zat. Ik weet dat ik gehuild heb. Ik weet dat iemand bier in mijn handen drukte. Ik weet dat ik overgegeven heb. Dat soort dingen weet ik, maar de volgorde is weg.

En iedereen wist ervan. Ik kwam erachter dat iedereen daarvoor ook al wist dat ik verliefd was op S. Toen Lottie deed alsof ze naast de barkruk was gaan zitten, had ze aan Rikzo verteld waarom ze dat deed.
'Ja, wat dacht jíj, anders stond ik mooi voor gek!'
Ik was kwaad, maar er waren zoveel emoties die me lamsloegen dat die boosheid niet genoeg energie gaf om iets te doen. Hij maakte me alleen maar slapper.

We zijn naar Lotties huis gefietst. Ik heb mijn tanden niet gepoetst en ben zo in bed gaan liggen. Ik ben in een of andere coma-achtige slaap gevallen. Een vergetelslaap. Een slaap waarin je niks meer weet. Helaas duurde die niet eeuwig. Toen ik wakker werd, voelde ik me raar. Er was iets, maar wat? Er was iets veranderd. Het leven was niet als voorheen. En ik ook niet. Het duurde een paar seconden en toen wist ik het weer.
S.
Ik kon me nooit meer ergens vertonen.
Heb je het al gehoord? Kiek wierp zich op een jongen die haar totáál niet wilde. Hij vond haar walgelijk. Hahaha!

'Hoe voel je je?' vroeg Lottie. Zij was dus ook al wakker.

Ik lag op het opklaplogeerbedje naast haar bed. Hoe leg je uit wat je voelt als de grootste liefde die je ooit zult beleven jou niet wil? Als de schaamte ondichtbare gaten brandt in je buik en je hart? Als je toekomst in stukken gescheurd én verfrommeld in de vuilnisbak ligt?

Ik haalde mijn schouders op. Toen bedacht ik dat Lottie dat waarschijnlijk niet zag, want mijn schouders lagen onder het dekbed. 'Ik weet niet,' zei ik. 'Ik voel me een kerkhof.'

'Dat lijkt me niet fijn, een kerkhof,' zei Lottie. Verder wist ze blijkbaar ook niet wat ze moest zeggen, want het was stil.

'Dus hij is verliefd op iemand anders? Op... die Pinkie, denk je?' vroeg Lottie na een poosje.

'Hè? Hoe weet jij dat?'

'Dat zei je. Gisteravond. Tussen twee kotsaanvallen in. Je had een heleboel scheldwoorden met Pinkie er steeds aan vastgeplakt.'

'O. Nou ja, ik weet niet of zij het is. Zal wel. Kan me niet schelen.'

'Nee, wat maakt het uit. Hij is in elk geval niet verliefd op jóú.'

Toen ze mijn slangengifspuitende blik zag, zei ze snel: 'O, sorry. Dat bedoel ik niet zo.'

'O.'

'Ik weet heel goed hoe het voelt, hoor.'

Ze had het over Sven. Maar haar gevoel voor Sven was heus niet zo diep en zo heftig als mijn liefde voor Stoffel. Niemand op de wereld had ooit zo'n liefde gevoeld. En nu was alles kapot. Alleen maar vanwege die verschrikkelijke Pinkie. Of iemand zoals zij. Als zij nu gewoon niet bestond, en meisjes zoals zij ook niet, dan was er niks aan de hand geweest. Maar ze bestond wel. Hij lag op dit moment misschien wel naast haar, in bed. Dan pakte hij haar gezicht vast en drukte een zachte kus op haar mond. Zijn hand gleed verder naar beneden, naar haar... Gatverdamme. Ik schreeuwde. Ik sloeg met mijn vuisten in het matras. Ik stampte met mijn voeten. Lotties moeder kwam binnenrennen, in haar nachtjapon. 'Wat, wat is er?' 'Er is niks,' zei Lottie. 'Kiek voelt zich een beetje rot.' 'Kan ik iets voor je doen?' Ik schudde mijn hoofd. Ik wilde alleen maar blijven liggen, voor eeuwig en altijd en nog eeuwiger dan altijd. En weg, dat wilde ik ook. Naar Wieger. Nee, geen zin in kleine kinderen. Naar Ron. Nee, geen zin in Lies. Had ik twee vaders, kon ik nóg nergens heen. Lotties moeder ging de kamer weer uit. 'Ik zet thee voor jullie,' zei ze vlak voordat ze de deur dichttrok.

Ik kroop onder de deken. Daglicht hoefde ik niet. Laat mij maar een kerkhof zijn, waar ik al mijn gevoelens een voor een begraaf. Ik heb ze niet meer nodig. Laat ze maar mooi stikken in hun doodskist.

Lotties moeder was lief. Ze vroeg niet door. Ze bracht me met de auto naar Doodschaap. Ron met Lies was beter dan helemaal geen Ron. Ik had gebeld of ik kon komen. Het kon. Ik had mijn moeder ook gebeld, dat ik naar Ron ging. Ze vroeg wanneer ik terugkwam. Ik zei dat ik dat nog niet wist.

In Doodschaap luisterde ik aldoor naar het nummer dat Ron voor mij had gemaakt, door de koptelefoon. Ik denk wel vijftig keer of meer.

De 'bankscène' speelde zich eindeloos af in mijn hoofd en liet zich niet stopzetten. Het enige goede was dat het leek alsof ik er zelf niet in zat, in de scène. Ik zag hem van bovenaf. Kijk daar, een meisje. Ze werpt zich op een jongen, hij duwt haar weg, hij wil haar niet, hij wil iemand anders. Volgende scène: het meisje, zonder de jongen, terwijl ze kotst en dood wil.

Ik broedde op plannen om de tijd terug te draaien. Er móest een manier zijn. Ik vroeg het aan Lies. Lies antwoordde dat het niet kon.

'Maar God kan het wel, toch? God kan alles. Hij is toch almachtig?'

'Ja, dat is Hij. Maar ik denk niet dat Hij dat doet.'

'Maar het kán dus wel.'

'Nee, het kan niet.'

'Als God het niet kan, is hij ook niet almachtig.'

'Dat is Hij wel. Zoiets dóet Hij niet.' Ze zei het heel rustig en geduldig, terwijl haar ogen gespannen stonden. Dat viel me steeds vaker op. Er was een soort rust en stress tegelijk in haar.

Ik keek naar Ron. Hij haalde zijn schouders op, wat volgens mij iets betekende als: laat maar, je kunt met haar toch geen logisch gesprek voeren. Misschien betekende het dat niet, maar ik had zin om te denken van wel.

Ik had een gesprek met Ron over gevoelens en drugs. Over dat gesprek heb ik eerder al verteld. Gevoelens verdoven leek me ineens heel erg aantrekkelijk. Wat moest je met die dingen, wat was het nut ervan? Kon je ze niet wegsnijden? De schemerzone, dat was dé plek om te zijn. Al dacht Ron daar dus duidelijk anders over.

'Er was een jongen die ik leuk vond,' zei ik. 'Maar hij vond iemand anders leuk.'

'Wat een kloothommel,' zei Ron.

'Hé! Let op je taal!' Lies keek fronsend naar Ron.

'Nou ja, wat moet ik dan zeggen?'

'Niks, je hoeft niks te zeggen. Kiek wil gewoon even haar verhaal vertellen. Toe maar, Kiek.'

'Niks, dit was het. Meer is er niet.'

'Dus nu ben je verdrietig om hem?'

Dat had ze niet moeten vragen. Ik wilde niet huilen waar zij bij was, maar er ontsnapte toch wat.

'Het is nog vers, hè?' zei Lies. 'Ja, dat doet zeer. Ik weet het.'

Ik keek haar aan. 'O ja?'

Ik hunkerde naar troost, zelfs het kleinste minitroostje was beter dan niks. Ook al wist ik dat er geen échte troost bestond, omdat het nooit over zou gaan en nog veel erger zou worden, omdat ik hopeloos voor gek stond en me nergens meer kon vertonen.

'Ach ja, iedereen heeft wel eens liefdesverdriet gehad.'

'Wanneer had jij dat dan?'

'O gewoon, vroeger.' Ze maakte een wegwappergebaar, alsof het niet belangrijk was.

'En nu is dat weer over?'

Ze lachte. 'Ja hoor. Het gaat altijd over. Nu heb ik Ron.'

Het was vast niet zo heftig en diep geweest, als ze er zo vrolijk bij kon lachen.

'Zie je hem nog wel eens?'

Ze schudde haar hoofd. 'Hij is weg.'

'Hij had wat problemen,' zei Ron. 'Lies wilde hem graag helpen, maar dat lukte niet.'

'Wat deed je, om van dat rotgevoel af te komen?'

'Bidden. Heel veel bidden. Inzien dat je niet alles in de hand hebt. Sommige dingen moet je aan God overlaten.'

'En dat hielp?'

'Zeker. God helpt. Altijd.'

We praatten, we zwegen, ik luisterde mijn liedje en speelde de scène af. Zo kwam ik de lange, eindeloos lange, duistere dag door. Duister, ondanks de bakken zomerzon.

Ron bracht me naar de stad, in de auto van Lies. We zeiden niets, de hele weg. Dat was fijn.

Wat nu? Het werd avond. Ik lag op mijn bed en staarde naar het plafond. In Lottie had ik even geen zin. Het was haar schuld dat iedereen ervan wist. Bah. Ik keek naar de tijd die voor me lag. De tijd was een uitgestrekte woestijn waar ik in mijn eentje doorheen moest zien te komen. Geen drinken, geen eten, geen beschutting, niks. Alleen de verstikkende zon en zand, zand, zand. Dat was de tijd die voor me lag.

Wat moest ik ermee?

Hoe kwam ik hem door?

Ik huilde. Ik had geen zin om te huilen, huilen had geen nut, ik voelde me er niet beter door, eerder slechter, maar het gebeurde gewoon.

Bidden dan maar, misschien hielp dat. *Beste God, help me van dit afschuwelijke gevoel af. Help me de woestijn door, help, help, help.*

Er kwam een bericht binnen.

God!

Of beter nog: Stofje. Heb me vergist. Dankzij jouw eerlijkheid van gisteren zijn mijn ware gevoelens me duidelijk geworden. Jij bent het van wie ik hou. Jij, jij, jij. Maar het was Jurg. Hoe gaat ie? Zin om iets te doen?

Hè?

Waarom deed hij zo lief? Na alles? Voelde hij aan dat ik het moeilijk had? Wilde hij me helpen, ondanks dat ik het had uitgemaakt? Misschien hadden we telepathisch contact, via gedachtengolven.

Het was ongelooflijk aardig, maar ik had nu echt geen zin in hem. Niet per se om hem, maar ik had nergens zin in. Zeker niet in hem.

Het was anders wel raar, hoor. Ik had gebeden tot God om hulp en ik kreeg meteen bericht van Jurg, met wie ik het net had uitgemaakt. Betekende dat wat? Hoorden wij bij elkaar maar had ik dat in al mijn dommegeiterigheid niet in de gaten? Was Jurg het antwoord op mijn problemen?

Er kwam nog een bericht. Lottie. Ben je in de stad? Kom naar pietertje. Stof is niet hier, hij moet spelen. Als je van het paard valt, klim er dan meteen weer op. Laat je niet kisten!

Misschien was dát het antwoord wel. Me er meteen weer in storten. Verdergaan met mijn leven. Maar toen ik bedacht dat dat ook betekende dat ik op zou moeten staan, het ene been voor het andere zou moeten zetten, liet ik het plan varen. Hier blijven liggen, dat was al met al het beste.

En ze zouden me zien aankomen, in 't Pietertje. Iedereen zou het verhaal ondertussen al wel hebben gehoord. Het was een soort nachtmerrie, zoals die waarin je door de winkelstraat loopt en ineens bloot blijkt te zijn. Met als enige verschil dat dit geen nachtmerrie was, maar echt.

En dit was erger.

De dagen strompelden voorbij: na zaterdag kwam zondag kwam maandag kwam dinsdag kwam woensdag.

Het was warm en het regende. Ron belde. Of ik zin had om met hem en Lies naar een bijzondere bijeenkomst te gaan. In een grote tent. Hij legde uit wat het was. Je kon je er bekeren, maar dat hoefde natuurlijk niet. De Heer deed daar mooi werk, zoals genezen en zo. Hij had daar zelf ooit de eerste stap op weg naar zijn genezing gezet. 'Je weet wel.' Ja, ik wist wel, dat verhaal kende ik natuurlijk.

Ik zei dat ik er niet echt zin in had, omdat ik nergens zin in had, maar dat ik erover zou nadenken.

'Niet denken, gewoon doen,' zei hij. 'Ze gaan ook een nummer van ons spelen.'

'Wie gaan een nummer van ons spelen?' Op een of andere manier dacht ik heel even dat hij 'Voor Kiek' bedoelde, want dat vind ik 'ons nummer'. Of anders een nummer dat hij en ik samen hadden gemaakt. Maar dat hadden we nog niet.

'Van Lies en mij. Er speelt een band.'

Er was dus muziek. Gezellig. Als ik ergens geen zin in had, was het in 'gezellig'.

'Wanneer is het?'

'Dit weekend. Ze staan er drie avonden, vanaf morgen. We kunnen bijvoorbeeld zaterdag gaan.'

'Hm.'

De deurbel ging. Ik zei dat ik nog terug zou bellen en hing op.

Jurg stond op de stoep, kletsnat. 'Ik kom even kijken hoe het met je is,' zei hij. 'Ik hoor maar niks. Ik vroeg me af...'

Ondanks de sombere, lege put waar ik in zat, met een deksel erop zodat er geen straaltje licht kon binnenkomen, voelde ik een dotje warmte mijn buik in waaien. Hij was bezorgd om mij. Hij was door de regen naar me toe gefietst. Ook al was het uit. Hij was lief.

'Kom binnen.'

Ook al was hij lief, ik had niet echt zin om iets met hem te doen. Maar ik kon hem moeilijk in de regen laten staan.

Ik wilde hem vragen waarom hij zo lief was terwijl ik het uit had gemaakt, maar ik vroeg het niet. Het was beter om nu even geen aandacht te geven aan dat 'uit'. Het was niet zo belangrijk. Iemand gaf tenminste nog iets om mij.

Aha, Driesteen.

'Ik zou eigenlijk naar het café, zo. Heb je zin om mee te gaan?'

Hij knikte en keek verheugd.

'Mam, ik ben even weg,' riep ik door de gang naar de woonkamer.

Een tel later stond ze in de gang. 'O, hallo Jurg. Wat gaan jullie doen?'

'Eindje fietsen, lopen, wat drinken,' antwoordde ik. 'Gewoon. Niet laat.'

'In de regen?'

'Ja, dat is leuk.'

'Hm. Oké. Maar niet te laat.'

'Even een ander dingetje aantrekken.' Ik rende naar boven en schreef aan Lottie: Ik ga naar café. Nu. Kom je ook?

Nog voor ik mijn shirt uit had, had ik al bericht terug: Yeah!

Mijn plan was net zo briljant als eenvoudig. Het zou één deel van mijn problemen oplossen, het deel waarin ik hopeloos voor lul stond in de wereld. Ik ging naar het café, met Jurg als mijn vriendje. Of hij dat nu was of niet, dat deed er niet toe. Iedereen zou het denken.

Iedereen zou denken:

Goh, kijk die Kiek, ze is er helemaal bovenop.

Ja, ze heeft meteen al iemand anders.

Zo belangrijk was het dus niet, die hele toestand.

Welke toestand eigenlijk? Waar heb je het over?

We zijn het alweer vergeten.

Er was geen toestand.

Zo zou het gaan. Ik wist het zeker. En dan zou ik me weer kunnen vertonen. Hoe het echt zat, dat hoefde niemand te weten. Ik wist het, dat was al erg genoeg. De pijn ging er natuurlijk ook niet van over, maar pijn is beter te verdragen als je niet tegelijkertijd hopeloos voor lul staat en zielig gevonden wordt. Zielig en sneu.

Nu nog even het probleem van de regen oplossen. Mijn haar moest niet stom gaan zitten, dat zou het hele plan verkloten. Kijk, daar is Kiek. Moet je dat haar zien.

Jezus, wat stom.

Logisch, het is ook zo'n zielig meisje.

Wie is die leuke jongen?

Nou, in elk geval niet haar vriendje.

Nee, haha, natuurlijk niet.

Toen we naar buiten stapten, ik met mijn haar zo veel mogelijk in mijn jas gepropt en met een plastic zak als een muts op mijn hoofd, was het droog. Soms lossen problemen zich vanzelf op. Of er was eindelijk hulp gekomen, van boven. Dat mocht ook wel eens een keer.

Daar stond hij, hij werkte. Ik zag hem door het raam. Dat was even slikken. Dapper zijn en doorzetten, zei ik tegen mezelf voordat ik de deurklink vastpakte. Die rotdeur ging niet open. Jurg probeerde het en de deur opende zich vanzelf.

Ik ging aan de bar zitten, zo ver mogelijk van de tap en van de plek waar S. meestal stond als hij even niets te doen had. S. stak zijn hand omhoog. Ik stak ook mijn hand omhoog. Jurg ging naast me zitten. *Jurg, Jurg, Jurg, wat ben ik blij dat je bestaat, mijn redder, mijn held, mijn alles.* Ja, hij was mijn alles, nu. Misschien wel voor altijd.

Ik zei tegen hem dat ik water met bubbels wilde. Zo, nu zou niemand denken dat ik altijd dronken was.

Als ik dronken was, sloeg ik wartaal uit, maar meestal was ik nuchter en helemaal normaal. Dat kon iedereen nu zien.

Even later kwam Lottie binnen. Er was niemand van Rikzo en zijn vriendenclub, dus ze kwam bij ons zitten.

'Komt Rikzo ook?' vroeg ik.

'Ja, straks.'

Nu was het lastig dat Jurg er was. Ik had Lottie al dagen niet gezien of gesproken en wilde bijpraten, maar dat ging natuurlijk niet, met een jongen tussen ons in.

'Hoe is het?' vroeg Lottie.

'Ik was even... de wereld uit.'

'En nu er weer in?'

'Nu er weer in.'

Nu ik met haar praatte merkte ik dat ik nog boos was. Dat gevoel was begraven geweest onder al die andere, ergere gevoelens, maar het zat er.

'Ik heb wel twintig berichtjes gestuurd,' zei ze.

'We mochten geen telefoon, van de abt.'

'De abt?'

'Ik was ingetreden, in het klooster.'

'En nu er weer uit?'

'Nu er weer uit.'

Jurg keek me verbaasd aan. 'Ik wist helemaal niet dat je daar was.'

'Waar?'

'In het klooster.'

'O, daar. Dat komt omdat ik er niet écht was.'

'O.' Hij keek verbaasd.

We praatten over onschuldige dingen zoals muziek, school en de natte sokken die je krijgt als het regent en je gaten in je schoenen hebt. Rikzo kwam binnen. 'Hé, hoe is het met jou?' vroeg hij. Hij keek me bezorgd aan.

'Hartstikke goed,' antwoordde ik. Het coole 'hoezo?' erachteraan kon ik net op tijd inslikken. Stel je voor dat hij antwoord zou geven.

Hij keek naar Jurg. Naar mij. Weer naar Jurg. Naar mij. Zie

je wel, hij dacht precies wat ik dacht dat hij zou denken. Ik schoof iets dichter naar Jurg toe, om die gedachten aan te moedigen. Rikzo stelde zich aan Jurg voor en bijna meteen waren ze in een gesprek verwikkeld over muziek en theater. Lottie kwam bij mij staan. 'Hebben jullie nog steeds wat? Ik dacht dat je het had uitgemaakt.'

'Had ik ook. Maar hij kwam langs. En wilde wel mee.'

'Goeie zet!' Ze keek me bewonderend aan.

Hier was de gewone Lottie weer, de Lottie die alles meteen begreep. De wij-zijn-wij-Lottie.

'Heb je al weer met dingetje gepraat?' Ze boog haar hoofd even in de richting van de tap.

'Nee, en dat ga ik ook niet doen. Wat valt er te praten?'

'Niks. Maar als je gewóón doet, gewóón met hem praat, denkt hij dat er niks aan de hand is. Dat je eroverheen bent.'

Daar had ze gelijk in. Maar de gedachte dat ik gewoon tegen S. zou moeten doen, na alles, was als een wurgslang die zich om mijn hart wikkelde.

'Hoe gaat het met jou en Rikzo?' vroeg ik dus maar.

'Super. Hij is helemaal verliefd op mij.'

O ja. Wrijf het er maar in.

'Hoe weet je dat?'

'Dat merk ik aan alles. Aan wat hij doet, aan wat hij zegt, aan hóé hij het zegt, alles.'

'Dat dacht ik ook bij S. Ik wist het zeker. Anders had ik nooit...'

Lottie zei niks, maar ik zag haar denken: je hebt de signalen natuurlijk niet goed begrepen. Jij bent gewoon wat dommer dan ik, in die dingen.

Nou ja, ik weet niet of ze dat dacht, misschien dacht ik het zelf. 'De kikker werkt dus,' zei ik.

'Ja, tot nu toe wel.'

'En ik heb het dus fout gedaan.'

'Nee, zo moet je dat niet zien.'

'Hoe moet ik het dan zien?'

'Stoffel is verliefd op iemand anders. Daar doe je niks aan.'

'Hoe verliefd is hij, denk je? Misschien valt het wel mee.'

Lottie was even stil. 'Ik denk niet dat het meevalt,' zei ze.

'Hoe weet jij dat?'

'O, gewoon, ik had nog even met hem gepraat, vrijdag-nacht. Hij eh... nou ja, hij snapte er ook niks van, dat jij dacht... Hij was behoorlijk overstuur.'

Híj was overstuur?

Jurg was geweldig. Lovhim. Ik zag hem met nieuwe ogen. Hij praatte hier, hij praatte daar, en ondertussen hielden we steeds contact, met blikken, woorden of kleine aanrakingen. Het was leuker dan toen we nog iets hadden. We waren meestal met ons tweeën geweest, maar hij was leuker, met anderen erbij. En het mooiste was: S. zag het allemaal. Niet dat het hem iets kon schelen, maar hij zag het. Dat was genoeg. Hij wist nu dat ik over hem heen was. Want dat was ik natuurlijk. Over hem heen.

Ik snapte niet meer dat ik hem ooit leuker had gevonden dan Jurg. Jurg was *the best*. Jurg.

En Fots was eigenlijk best lelijk. Fots, het omgekeerde van Stof en het rijmde op kots. Nou ja, misschien niet echt lelijk, maar wel onaantrekkelijk en héél irritant om naar te kijken.

Er kwam een meisje binnen dat ook achter de bar werkte. S. pakte zijn spullen. Ging hij weg? Waarom nu al? Het was nog maar tien voor negen. Wat ging hij doen, waar ging hij heen, waarom?

Lottie liep naar S. en praatte met hem. Ik kon niet horen wat ze zeiden, ze stonden te ver weg.

S. kwam naar ons groepje en groette.

'Moet je spelen?' vroeg een van de jongens.

'Eh... nee.' Toen ging hij weg.

'Heb je gevraagd wat hij ging doen?' vroeg ik aan Lottie, toen ze terug was.

'Hij zei dat hij een afspraak had.'

'Wel een belangrijke dus. Dat hij zijn werk ervoor afzegt.'

'Hm.' Ze keek alsof ze meer wist, het niet wilde zeggen maar wél wilde dat ik wist dat ze meer wist. Ik ging er mooi niet naar vragen. Sommige dingen hoef je niet te weten. Ik had al horrorbeelden genoeg in mijn hoofd van hem met Pinkie of een Pinkie-achtig iemand.

'Misschien moeten we maar een biertje nemen,' zei Lottie.

Een halfuur later. 'Hé, heb jij wat met hem?' vroeg Lutitia, een meisje van de jeugdtheaterschool. Ze knikte even naar Jurg.

'Hoezo?'

'Gewoon. Ik vroeg het aan Lottie, maar zij deed vaag.'

'Ja, ik heb iets met hem.'

'O. Nou, dan ben je een vette mazzelbitch.'

Jurg werd met de minuut knapper en leuker. Meisjes cirkelden om hem heen, maar hij keek naar mij. Wat was het leuk om een knap vriendje te hebben dat jou het leukst vond. Ik sloeg mijn arm om zijn middel. Hij gaf mij een kus. Iedereen had het nakijken, haha. Hij was van mij, van mij, van mij. Was S. nu met P.? Wat deden ze? Hadden ze het over mij? Waren ze samen aan het lachen om dat domme gansje, dat geitje, dat onbenullige schaap?

Wat een grrmpfgrpprmgpfsituatie was het.

Gelukkig was Jurg er. Ik moest gewoon mijn aandacht op hem richten, dan kwam alles goed.

Vanavond was De Avond. Ik besefte ineens, na het derde biertje: er was geen geschiktere avond dan vanavond. Alles klopte. Hij vond mij leuk, ik hem ook en ik was compleet over S. heen. En ook als dat niet zo was geweest: er bestond geen betere manier om van dat gevoel af te komen dan seks met Jurg. Seks, dat was iets moois. Iets samens. Als je dat had, dan dacht je echt niet meer aan iemand anders.

Je moet het niet met zomaar iemand doen. Het moet bijzonder zijn, zéker de eerste keer. Met Jurg zou het bijzonder zijn. Hij had het verdiend. Hij was gek op mij. Hij was er altijd voor mij. Hij was zelfs zomaar over die rare uitmaakactie van mij heen gestapt. Waar vond je zo'n jongen? Wie weet vond ik nooit meer zo'n jongen.

Ja, het zou heel goed kunnen dat ik nooit meer zo'n jongen vond. Zo een moest je zien te hebben-en-houwen.

Niet te veel drinken dus, maar ook niet te weinig. Zodat de boel soepeltjes verliep, maar je niet kotsend in de bosjes belandde.

Een ander probleem: waar gingen we heen?

Nog een: had hij condooms? Die kon hij vast wel halen ergens, maar ik was niet van plan om 'het' aan te kondigen. Het moest helemaal spontaan gebeuren.

Ha, was ik toch nog sneller met het lintjescontract dan Lottie. 'Ik doe het,' fluisterde ik tegen Lottie. 'Ik ga *all the way*, vanavond.'

'O ja, echt? Gaaf!'

'Ik heb erover nagedacht,' zei ik. 'Met Jurg heb ik per ongeluk alles volgens *De kikker* gedaan. Zonder boekje, gewoon vanzelf. Alles klopt. Het is tijd.'

'Waar ga je het doen?'

'Dat is een probleempje. Weet ik nog niet.'

'Zal ik het ook doen? Dat is leuk, dan doen we het op dezelfde avond.'

'Ja, maar... is het niet een beetje raar om het te doen omdat ík het doe?'

'Waarom? Er zijn slechtere redenen.'

Ik was tot nu toe nog niet erg ver gegaan, met Jurg. Geen broekhandelingen. Het was er gewoon nog niet van gekomen. Hij deed niet zoveel op dat gebied en ik ook niet.

Nou ja, dat was niet helemaal waar. Hij deed wél dingen, maar ik niet. Hij hield altijd snel weer op. Misschien omdat ik niet echt meedeed.

Maar nu ging ik wel meedoen, nou en of, nou-en-offerdepof.

Ik durfde het tot nu toe nooit zo. Vooral door dat jongensding. Wat moest je ermee? Laten we dat ding 'het aanhangsel' noemen. Want dat doet het, aanhangen. Soms hangt het aan, soms steekt het uit. Dan is het een uitsteeksel. Dat aanhangsel of uitsteeksel was het grootste probleem. Maar er waren nog veel meer problemen.

Zoals:

Stel je voor dat je ging hijgen of kreunen. Of juist niet. Of op het verkeerde moment.

Stel je voor dat je vies rook of vies voelde of er vies uitzag.

Daar kon je niks aan doen, als dat zo was. Maar je zat er wel mooi mee.

Stel je voor dat híj vies voelde of rook of eruitzag. Dat je opeens dacht: gatver. Misschien groeiden er wel borstelige Neanderthaler-haren uit zijn bilspleet. Kon je dan zomaar opeens ophouden? Wat als je moest overgeven? Er kon veel misgaan.

Wat ik al wel had gemerkt: mijn lichaam leek zomaar van alles te weten als het om seks ging. Het zat vol elektriciteits-golven en andere trillingen en bewegingen, alleen al bij het zoenen. Maar de rest van mij wist het allemaal niet en hob-belde er struikelend achteraan.

Iedereen zegt altijd: je moet doen wat je wilt en niet doen wat je niet wilt. Lekker makkelijk, alsof dat altijd zo duide-lijk is. Mijn lichaam wil soms andere dingen dan mijn hoofd. Je hebt verschillende soorten willen. En je kunt iets wel en niet willen tegelijk. Wat doe je dan?

Maar nu was er geen twijfel. Mijn hoofd wilde het. Mijn li-chaam ook. De rest ook, voor zover er dan nog een rest is. Alle soorten willen waren het met elkaar eens. Ik ging het Doen.

Nu alleen nog een doe-plek.

En de bonusprijs was: ik zou nooit meer aan S. hoeven den-ken. Alles zou goed komen. Ik dacht nu al nauwelijks meer aan hem. Alleen al het dénken aan het Doen, maakte dat ik minder aan S. dacht. Hè, wie? S., die mistige figuur uit een ver, sneu verleden.

Ivo woonde in een oude technische school. Hij was daar een soort beheerder en betaalde daarom bijna geen huur. Als zulke panden leegstonden, werden er altijd ruiten ingegooid en andere vernielingen aangericht, vertelde hij. Vandaar dat ze graag wilden dat er iemand in woonde. Naast de ruimte waar hij woonde waren er alleen wat opslagruimten voor theaterdecors en andere troep, en twee ateliers van kunstenaars. Het was groot. Ivo woonde in één lokaal. Hij had er gerust in vijf kunnen wonen, maar dan moest hij te ver kruipen als hij naar bed wilde, zei hij.

Het was Lotties idee om erheen te gaan. Zij wist dat die jongens daar vaak met elkaar rondhingen, ook 's nachts na het uitgaan, en dan crashten ze gewoon ergens als ze wilden slapen. Plek zat.

Jurg wilde wel mee. Ook al leek hij niet héél enthousiast toen ik het voorstelde. Hij keek me wat wantrouwig aan. Waarom keek hij me wantrouwig aan? Nou ja, maakte niet uit. Condooms. Waar haalden we die vandaan? Ach, ik werd heus niet meteen zwanger. Er was trouwens niet veel meer aan te doen op dit moment, ik kon het niet aankondigen, zo van: hé Jurg, we moeten condooms hebben, joh. Dan was er niks meer aan. En ik leek dan een of andere seksmaniak.

We fietsten met z'n allen naar de TS, zoals ze het gebouw noemden. Daar liep ik door de gangen met Stof, ik bedoel Jurg. S. was er niet, ook niet in mijn hoofd. Nou ja, hij flitste wel eens langs, maar alleen als ik me even niet sterk genoeg op Jurg concentreerde.

In Ivo's woonlokaal viel iedereen her en der neer op kussens en banken en op de grond. Er was een krat bier. Ik nam ook een flesje. Hoe kreeg ik Jurg naar een andere plek in het gebouw, zonder dat het iemand opviel en zonder dat hij doorhad dat ik iets van plan was? Wat wij gingen doen moest per ongeluk gebeuren, zo van: opeens gebeurde het, het was sterker dan wijzelf, we werden meegesleurd door een vloedgolf van heftige gevoelens. Dan was het romantisch. Als je het ging plannen, was het niet romantisch, vond ik. Dan kun je net zo goed gaan liggen met je benen wijd en hup, klaar is Kees.

Ik stond met mijn flesje bier tegen de deurpost geleund en broedde op een plan.

Jurg kwam eraan. 'Kom eens mee,' zei hij. Hij had blijkbaar helemaal geen plan nodig. We liepen samen de gang op.

'Je moet me even iets uitleggen.' Hij praatte zacht, want de galm was enorm. Echt zo'n schoolganggalm. We stonden stil in de halfdonkere gang.

'Ik praatte in het café met Diede,' ging Jurg verder. 'En hij zei een paar dingen die ik niet snapte.'

'Wat dan?' O jee, als het maar niet over vrijdagavond ging.

'Iets over vrijdagavond. Jij was op een feest, hoorde ik.'

Dit ging de verkeerde kant op. Het was uit tussen ons, dus ik mocht doen wat ik wilde, maar hij was blijkbaar jaloers. En dat kon het lintjesknipplan in de war schoppen. En het moest gebeuren. Vannacht. Met hem. Ik had nog nooit iets zo zeker geweten. Ik was er helemaal klaar voor. Nooit zou ik klaarder zijn dan vannacht. Als de waarheid een handje geholpen moest worden, dan moest dat maar. Voor het goede doel. Jurg had het beslist ook een goed doel gevonden, als hij het doel had geweten.

Ik trok een nadenkend gezicht. 'Vrijdag, feest... O ja, feest. Hè, wat was er dan, volgens Diede? Oóó, wacht, ik weet het al. Er was een misverstand.'

'Wat voor misverstand?'

'Iemand dacht dat ik verliefd op hem was, heel saai verhaal.'

'En je hebt met hem gezoend.'

'Nee. Niet echt. Per ongeluk.'

'Per ongeluk? Zo van: opeens viel je tong in zijn mond?'

Eigenlijk wilde ik zeggen: Waar bemoei je je mee, het was toch uit tussen ons? Maar dat kon de stemming bederven. Het was zaak om te zorgen dat het juist weer aan kwam tussen ons. Dat moest, en snel ook, anders ging 100% zeker een van die andere meisjes er met hem vandoor. Het was leuk dat ik hem had terwijl zij hem wilden, maar ik moest hem wel zien te houden.

Ik lachte luchtigjes, terwijl ik mijn hoofd ietsje achterover liet vallen, eerst naar linksachter, toen naar rechtsachter. 'Haha. Haha. Nee hoor. Hij dacht dat ik iets wilde. Hij was dronken, we zaten buiten op de bank en opeens lag hij boven op mij. Het duurde heel even voor ik kon zeggen dat ik niet wilde. Je weet wel, dan is zo'n mond er ineens, met zo'n tong en dan ben je even totaal verbaasd en helemaal van slag, en nou ja, zo dus. Maar ik noem dat niet echt zoenen.'

Het was allemaal waar, op één omgewisseld detail na. Toch knap, dat ik nauwelijks hoefde te liegen. En met die ene kleine verandering klonk de waarheid opeens een heel stuk prettiger. Voor iedereen.

Ik sloeg mijn armen om zijn nek en drukte mijn lichaam tegen hem aan. 'Zoenen, dat is wat wíj doen.' Ik drukte mijn mond zachtjes op de zijne. 'Vind je ook niet?' fluisterde ik met mijn lippen tegen zijn lippen.

Klaar.

Ik had hem weer.

Helemaal.

'Hé, tortelliniduifjes, daar zijn de ligplaatsen!'

We leken wel zuignappen. Het was moeilijk, maar we plopten los. Ik keek om en zag Ivo lopen.

Hij wees naar een lokaaldeur. 'Daar!'

S-flits.

Die S-flitsen waren niet zo erg, alleen had ik af en toe zo'n raar gevoel in mijn buik. Ik kan het niet omschrijven. Iets prikte in de leegte, of zo. Niet fijn.

En er was nog iets anders. Het was alsof ik niet echt bestond en niet echt hier was. Was ik wel ik? Of stond hier iemand anders met Jurg te tongen? En waar was ík dan?

Kwijt.

Jurgs handen waren onder mijn shirtje en streelden over mijn rug. Dat was lekker. Er trok een spiraalvormige rilling door me heen. Nee, weg, handen moeten weg. Hè, wat? Nee, niet weg, ik wil ze. Ik wil ze niet.

Knop om.

Ik-wil-ze-niet uitschakelen.

Alleen ik-wil-ze-wel bestaat nog.

Mmmm, hij kust me ik kus hem hij bijt onderlip en zuigt en duwt me zachtjes kom-daar-is-het-rustiger ja nee, weg van hier, te veel mensen, kom, kom, kom.

Ik schudde mijn hoofd een paar keer heen en weer, alsof ik mezelf wakker moest maken uit een droom. Uit een niet-echt-er-zijn. Zo. Daar was ik weer. Echt.

We stonden in het lokaal dat Ivo net had aangewezen. Wat was het gemakkelijk om zoek te raken in de ander. Net een doolhof. Was het de drank waardoor het zo voelde? Nee, het waren de hormonen. Denk ik. Die suisden door mijn hoofd. Denk ik.

Het was schemerig, maar er viel genoeg licht naar binnen vanaf de gang en van de lantaarnpaal buiten om alles te zien. We waren in het atelier van een schilder. Er stonden filmsetlampen, ezels, opgespannen doeken in allerlei maten, schilderijen van meisjes in meisjeskamers, meisjes op banken, bedden en matrassen, overal dozen en doosjes, er lagen stukken hout met gekleurde klodders erop, verftubes en daar, rechts van ons, lag een stapeltje eenpersoonsmatrassen.

Ik zag dat Jurg zag dat ik naar de matrassen keek.

'Zullen we even liggen?' vroeg hij. 'Of wil je dat niet?' Hij hield mijn hand vast.

Ik knikte. Had ik maar een biertje. Of een limoncello. Lekker vies zoet.

'Het hoeft niet, hoor, als je niet wilt.'

'Ik zeg toch dat ik wil!' Het kwam er iets harder uit dan ik had gewild. Niet zo romantisch.

Jurg keek even, met zijn wenkbrauwen in de verbaasstand, maar zei niets. Hij trok een matras van de stapel, en nog een, en legde ze naast elkaar op de grond.

S-flits-S-flits-S-flits. Verdorie, de ene na de andere. Weg met die flitsen. Het waren haast geen flitsen, het was meer een schokkerige film. Misschien moest ik ze gewoon toelaten, die beelden. Wat maakte het uit? Straks zouden ze voorgoed weg zijn. Straks zou ik met Jurg zijn, helemaal, he-le-maal, en S. zou zijn opgedonderd.

Ik vrouw, helemaal.

S. weg, helemaal.

Jurg van mij, helemaal.

Dan voel ik me weer goed. Helemaal.

Pijn weg.

Zo leuk was hij niet.

Kijk dan, Jurg is veel leuker. Veel, veel leukerderder. Hij gaat liggen op de matras. Wat nu? Kleren uit? Wat doe je in zo'n geval? Naast hem gaan liggen. Toe maar. Kijken. Diep. We kijken naar elkaar. Zo. Ik lig. Niet zoekraken nu, blijf hier. Rustig aan.

Jurg schuift naar me toe en kust me voorzichtig. We raken elkaar niet aan, alleen met onze monden. Er torpedoot iets van mijn mond naar het tussenbeense gebied. Het komt daar tot ploffing, in een uitwaaierende stofwolk. Nee, geen stof. Broeiwolk. Waaierend. Mijn onderlijf gaat opeens als vanzelf naar het zijne. Het drukt zich tegen hem aan. Ik doe niks, echt niet. Het gebeurt. Denkt hij nu dat ik iets wil? Dat ik sletterig ben? Ik ga weer wat van hem af liggen. Laat hem maar beginnen, dat is beter.

Hij zal toch wel weten hoe en wat? God, laat hem AUB weten hoe en wat. Dat hij mij erdoorheen leidt. Ik ben week. Ik ben was. Doe maar. Dóé maar. Doe wat nodig is. We moeten dáárheen. Dat. Erin.

Zijn hand gaat onder mijn shirt, nu aan de voorkant. Shit, stomme beha. Afknapper.

'Ik heb een stomme beha,' fluister ik met mijn mond tegen de zijne.

'Hè?' Hij trekt zijn hoofd naar achteren en haalt zijn hand onder mijn shirt weg. 'Waar heb je het over?'

'Ik sta voor gek. Ik heb stomme... onderdingen aan.' O ja, o nee, mijn onderbroek, ook dat nog. Was het die met de vlin-

dertjes of was het die bruine met gaten erin en slap elastiek?
'Wat kan mij dat nou verrekken? Jezus!' Jurg liet zich op zijn
rug vallen en keek me aan. 'Wil je dit wel?'
'Ja. Ik wil het. 100%, echt.'
'Wát wil je precies?'
'Gewoon. Alles.'
'Alles? Waarom?'
'Hoezo: waarom?'
'Waarom nu opeens?'
'Waarom níét nu opeens?'
Wat een irritant gesprek. Wat had-ie nou te zeuren? Jongens
zijn toch blij als een meisje wil? Jongens willen altijd wel.
Hup dan. Profiteer ervan. Zo.
'Het komt zo uit de lucht vallen. Lijkt het.'
'Nou en? Lekker laten vallen.'
Hij keek me aan en glimlachte. Toen keek hij weer serieus.
'Als we alles gaan doen, moeten we misschien zo'n ding ge-
bruiken.'
'Tja. Maar hoe komen we daaraan?'
'Misschien zit er een in mijn portemonnee.'
Wat?

Hij was uit op seks. Afknapper. Hij had het voorbereid.
Het was niet spontaan. Het was niet romantisch. Het was
niet leuk. 'Waarom heb je zo'n ding bij je?'
'Gewoon. Je weet nooit. Dus.'
Zijn portemonnee zat in zijn jàs en die lag op Ivo's kamer. Ik
wilde niet dat hij wegging. Als hij weg zou gaan, kreeg ik het
koud. En S-flitsen. S-films. Snapte hij dat dan niet?
'Je mag niet daarheen,' zei ik, toen hij opstond.
'Waarom niet?'

'Gewoon. Dan weet iedereen dat we iets gaan doen. Waarom zou je anders opeens naar je jas moeten?'
Hij ging weer zitten. 'Goed, geeft niet, dan doen we het gewoon een andere keer. Is misschien ook beter.'
Wát?
Wááát?
Wáááát? Wilde hij niet? Jongens doen een driedubbele moord om dit te mogen doen met een meisje en hij wilde niet?
Ik draaide me om, met mijn rug naar hem toe.
'Wat is er?'
'Niks.'
Het was stil.
'Zullen we dan teruggaan?'

S. wilde mij niet. Jurg wilde mij niet. Oók al niet. Hoe was het mogelijk? Was ik zo walgelijk dat geen enkele jongen mij wilde? Wat moest ik doen om te zorgen dat íémand mij zou willen?

'Wat is er?' vroeg hij.
'Niks,' zei ik, maar er zat een schorretje in mijn stem.
'Huil je?'
'Natuurlijk niet, doe niet zo stom.'
Jurg stond op.
Opeens kon het me geen shit meer schelen wie wát wist, over wat ik deed.
Hij zou me willen, hij moest me willen, ik ging hier niet weg voor hij me had gewild, helemaal.
'Haal je dat ding?' vroeg ik. Ik haalde mijn neus op om te voorkomen dat het snot op de matras droop.
'Hè?'

'Dat ding. Haal het.'

'Maar...'

'Doe het nou maar. Zo moeilijk is het toch niet?'

Jurg liep weg. Even later was hij terug, met jas en al. 'Ik heb hem.' En nu bleek dat hij toch wel íéts snapte, uit zichzelf: 'Ik heb ook bier meegenomen.'

Na wat slokjes bier begonnen we opnieuw. We bleven ook drinken, dat ging heel goed samen met zoenen. Zijn mond werd er koel van, dat gaf een lekker gevoel, koel, zacht, hard en warm tegelijk.

We gingen weer liggen, naast elkaar. Ik weet niet wat ik allemaal deed met mijn handen, van alles misschien wel, maar vooral de zijne waren aldoor aanwezig. Op mij. Ze waren op mijn rug. Ze waren op mijn buik. Ze waren op mijn kont en op mijn benen. Ze waren weer op mijn rug. Ze prutsten aan de beha-sluiting. Ze waren niet zo handig. Ze duurden lang. Ze slaagden. Ze gingen uit elkaar, namen een andere route. Een op mijn rug. Een naar mijn buik. Omhoog. Tiet. Opeens trokken ze samen mijn shirt uit. Als vanzelf werkte mijn lichaam mee.

Jurg trok zijn eigen shirt uit.

Beha flubbelde ergens in het rond op mijn bovenlichaam. Ik wierp het ding zelf maar af. Het was een lelijk ding, huidkleurig, getver. Hoe lang moest je voorspel doen? Zo lang als je zin had natuurlijk. Maar hoe wist je wat de ander wilde?

Ik was veel te gespannen, het ging helemaal niet goed. Ik lag op mijn rug. Hij zoende mijn buik, ik vloog bijna tegen het plafond. 'Te gevoelig,' fluisterde ik. Er kwam onwillekeurig een hijgje achteraan. Hij zoende zich een weg omhoog met zijn mond. Mijn lichaam kromde zich naar hem toe, rug hol. Mond mond mond, hand hand hand.

Bank. Koekjes. Stof. Gezicht, haar, mond, hard ding tegen onderbuik.

Niet denken. Niet. Niet. Niet. Weg met S.

S. geeft kusjes op mijn borst. Lange. Diepe. Alles aan hem wordt harder, zijn lichaam, zijn handen, zijn mond, lekkerder ook.

Nog even en ik ga me overgeven, ik word zachter steeds zachter, hij harder steeds harder. Hand bij de knoop van mijn broek. Ja, uit dat ding, weg ermee, alles weg en uit.

'Toe maar,' fluister ik. 'Alles uit.'

Hij kijkt me aan en glimlacht. 'Geen stof meer tussen ons in.' Hij kust me. Ik bevries. Wat bedoelt hij? Geen Stof? Hoezo, geen Stof?

'Wat is er, ben je zenuwachtig?' fluistert hij. 'Woow, je bent zo mooi, ik kan je wel... je helemaal... alles. En zo.' Hij sjort mijn broek naar beneden, terwijl ik van de ene bil op de andere wip.

Hij trekt zijn eigen broek uit.

Ik heb de bruine onderbroek aan, met slap elastiek en gaten. 'Die niet uit,' zeg ik. Het is te... echt. 'Die moet aanblijven. En díé ook.' Ik pluk even aan zijn onderbroek.

'Oké. Als ik te ver ga, moet je het zeggen.'

'Ja.'

'Zeggen als je iets niet wilt, hoor.'

'Ja-ha!'

O, daar was-ie weer, die toon die ik niet wilde hebben.

Zijn tong gaat weer in mijn mond, en beweegt in het rond. Ik denk aan de slak in Lotties tuin. Dit is gelukkig geen slak. Meer een slang. Een cobra. Hè, niet zulke gedachten heb-

ben, slangen, slakken, champignons, geef je over, hup, geef
je over. Werp je erin. Dit is een bijzonder moment. Je zult je
het altijd herinneren. Dit is Het Moment. Dit. Is.
We drukken onze onderlichamen tegen elkaar. Alles is
ineens voelbaar. De hardheid. Daar, op die plek. De jon-
gensplek. Het ding.

Aanhangsel was uitsteeksel geworden. Ik had de
verandering van het ene ding in het andere niet gemerkt. Het
was ineens zo. Misschien al de hele tijd. Onze benen waren
verstrengeld. Zijn hand streelde mijn bovenbeen en ging omhoog en nog omhoger en... stopte vóór de plek der plekken,
waar ondertussen damp uit opsteeg. De rooksignalen waren
in de verre omtrek te lezen. TOE DAN, schreeuwden ze. Toe
toe, dan hebben we het gehad. Ik wil het. Alles wil het. Met
onderbroeken aan. Met ane onderbroeken. Niet alles hoeft
gezien.
'Weet je het zeker?' Daar hadden we Jurg weer.
Als antwoord kuste ik hem, groot en warm en lief. Anders
had ik hem een schop gegeven. Hoeveel gezeur kan een
meisje hebben, tijdens seks? Haar eerste keer nog wel.
Hij trok zijn hoofd een eindje naar achteren en zei: 'Dan
moeten toch die onderbroeken uit, Kiek. Het gaat niet, met
die dingen aan.'
'Jawel,' zei ik. 'Gaat wél.' Ik was de spelleider, de baas, ik
bepaalde hoe het ging toch, Hannelore?
Niet aan Hannelore denken nu. Onze monden plakten
weer samen. Ik voelde hoe een vinger voorzichtig langs de
rand van de stof... nee, geen stof. Fots. Kloteshitding. De
gatenbroek. Er zaten gaten aan de bovenkant, bij het elastiek, door losse naadjes, en een gat aan de onderkant, van

doorgesletenheid. Een kleintje maar. Niet groot genoeg om...

Elektroshot. Tijdens mijn gedachten was de vinger blijkbaar verdergegaan, ín de gatenbroek, daar op onderzoek gegaan en had de tikkelplek gevonden. Zo noemden Lottie en ik hem.

Er trok een oceaan door me heen, door, door, ik wil meegesleurd in de stroming en... o shit, moet ik nu ook wat bij hem doen? Wat dan? Ik weet niet hoe dat ding werkt. Het apparaat. Het geval.

De vinger was weer weg bij de tikkelplek, het was waarschijnlijk per ongeluk dat hij er even langs was gestreken. Hij gleed tergend langzaam langs de flipflapjes naar het zazazorium. De vinger duwde er een beetje tegenaan. Alles was zacht, daar. Behalve die vinger. Ik wil hem maar ik wil hem niet, verdomme. Alles glad. Glad van vocht. Vocht vacht vecht seks met Kiek is slecht. Waar slaat dat nou weer op? Weg met rare gedachten.

Ik wil de gedachten stoppen, me overgeven, maar het lukt niet, alles in mij is gespannen en gefixeerd. Ik probeer mijn lichaam stil te houden, maar het beweegt toch een beetje. Hoe weet het wat voor beweging het moet maken? De beweging komt van ergens ver en diep. Het is eng dat mijn lichaam meer weet dan ik, de boel wil overnemen.

Vinger in het zazazorium. Dat voelt... Hoe voelt het, het vóélt. De tikkel wil iets anders, die wil tegen de hand. Hij duwt zich ertegen, er komen weer oceanen op gang, met golven en stromen en o shit nu moet ik natuurlijk iets bij hem doen ik weet niet wat zal ik proberen met wijsvinger één voelinkje maar niet in de onderbroek alleen op de buitenkant. Toe maar.

Ik voel.

Hij reageert meteen met een adem. Wat eng. Ik doe iets en hij reageert. Kunnen we niet gewoon 'het' gaan doen dan is alles duidelijk dan hoef ik niks te doen laat hem maar doen ik weet het allemaal niet. Zo.

Ik duw mijn onderlichaam tegen zijn uitsteeksel. De rest van mij stuntelt, ik kan het beter aan mijn onderlichaam overlaten. Alleen zitten die stukjes onderbroek ertussen. Hoe komen we erlangs? Opzij duwen. Maar dat moet hij doen. Ik niet. Ik meisje. Ik van niks weet. Ik vijftien. Hij hij hij.

Hoe zou het voelen, daar bij hem? Het uitsteeksel en zo, bedoel ik. Maar dan gewoon. Als een soort doktertje. Maar we kunnen nu toch geen doktertje spelen? Nu is seks.

'Doe maar,' zeg ik. Dat denk ik tenminste. Waar is mijn stem? Er is alleen een hees hijgkreuntje. Nog een keer: 'Doe maar.' Ja, nu hoor ik mezelf.

'Wat?' vraagt hij.

'Het.'

'Nu al?'

'Hoe lang moeten we dan wachten?'

'Wachten? Dit is toch geen –'

Ik kus hem, want hij heeft de neiging om veel te praten op momenten dat er niet veel gepraat moet worden. Ik trek hem helemaal op mij.

Kom op, werp je erin. Monden monden, handen handen, overal. Dáár. Dáárheen. Hoor adem zucht hijg. Hét komt eraan. Hét baant zich een weg langs st...extiel, stextiel aan de kant, ik voel hét tegen het zazazorium duwen. Stop stop ik wil niet, ik... praat ik hardop? Nee, gelukkig, nee. Niet zeiken, je bent gewoon bang, kom op, even doorzetten want dan heb je het mooiste wat er is met de leukste jongen die er is en nooit meer S. en nooit meer een kutgevoel van kut kut kut auw kut AUW!

'Shit.' Hij houdt op met duwen en kijkt me geschrokken aan. Dat laatste was dus wel hardop.

'Nee, geen auw, verdergaan. Ik wil verder.'

'Eerst dat ding dan.' Hij gaat rechtop zitten en prutst met condoompakje en uitsteeksel.

Ik kijk niet. Stom gedoe. Pompom-pompom, ik trommel met mijn vingers op mijn benen. Wat zal ik eens doen? Liedje maken? 'Ik koel af,' zeg ik. Goeie titel.

'Klaar.'

We zoenen weer, een hoop handen langs lichamen. Dan steekt hij twee vingers in zijn mond en brengt ze naar het za-zazorium en wrijft ze erlangs en er een beetje in, nog iets ver-der erin, toe maar, mijn lichaam wil, echt, echt, ik...

Ze gaan weer naar buiten. Hét komt weer, duwt weer, tan-den op elkaar, niks roepen, geen auw. Duw, bonk. Het geeft niet mee, daar.

'Het wil niet,' fluistert Jurg.

'Wél! Je moet gewoon dóór... erin.'

'Maar het zit dicht. Ik kan toch niet...'

Ik trek Jurg dichter tegen me aan. 'Is niet dicht. Je kunt wél.' Geen idee hoe, maar opeens schiet het ding er een eindje in. Niet ver, een stukje. 'Auw-wrauwww-aag!' Alles in mij ver-krampt. Behalve mijn armen. Ze duwen hard tegen Jurg. 'Weg. Weg!'

Ik haal adem. Sjemig.

'Zie je wel, je wilt helemaal niet echt.' Hij zit ineens rechtop, naast me, met een donkere blik.

'Ach, zeik niet zo.' Ik onderdruk de neiging om mijn hand tussen mijn benen te stoppen. Veilige hand. Troosthand.

Verzachthand. 'Het doet gewoon pijn. Ga jij maar eens met je gat open liggen en dat iemand er een knuppel in propt!' Hij had natuurlijk kunnen antwoorden dat hij geen gat had, tenminste niet zo een als dat van mij. Hij had boos kunnen worden en zeggen dat ik zélf zeikte. Hij had zich niets van mijn woorden kunnen aantrekken en een arm om me heen kunnen slaan.

Dat alles deed hij niet.

Hij zei: 'O, zo', stond op en trok zijn kleren aan. Toen pakte hij de ene matras en legde hem terug op de stapel. Hartstikke romantisch allemaal. Maar dan zonder dat 'romantisch'. Alleen hartstikke. Dat je hart stikt.

Kan iets zo... niets zijn? Dat er niets is, dat je niets voelt? Leeg.

Het zazazorium brandde. Crematorium.

'Waar ga je heen?' vroeg ik.

'Gewoon, naar huis. Ga je mee, die kant op?'

'Nee.'

'Dacht ik al.'

Wat was er met hem? Was hij boos? Beledigd? Maar waarom?

Waarom zei hij niet wat er was?

Waarom vroeg ik er niet naar?

Ik had geen zin om ernaar te vragen. Ik was te leeg om ernaar te vragen. Ik ging alleen maar niet mee omdat ik niet op wilde staan. Ik voelde me geramkraakt. En ik wilde met Lottie praten. Ik kon moeilijk met hém praten. Ik was een seksmislukkeling. Dat ga je niet tegen je vriendje zeggen. Je wilt een sekssucces zijn. Met het juiste ondergoed aan en uit, geen haartje op de verkeerde plek, alles gaat soepel en vanzelf en iedereen komt gillend klaar. Zo hoort het. Dan blijf je nog een tijdje liggen in-op-bij elkaar, kriebelkusjes gevend, in een warme wolk van hartjes en bloemetjes. Zo hoort het.

Zo hoort het!

Zo was het niet.

Laat hem maar oprotten dan, als het zo moet.

Een heel eind.

Ik wilde me aankleden maar dat ging niet, met Jurg erbij. Hij zou alles zien. Ik bleef liggen, half op mijn zij, half op mijn buik, met één arm onder mijn hoofd, de andere voor mijn borst.

Ik zag opeens dat het matrasje best vies was. Vol oude vlekken.

Er rolden gedachten door mijn hoofd, terwijl Jurg zwijgend naar me keek en ik niet naar hem:

- Ik ben blij dat ik het heb uitgemaakt. Net goed.

- Gelukkig is het niet écht gebeurd. Hij ging niet écht naar binnen. Hooguit voor een derde, of zo. 33,333 %.

- Nou ja, laat ik het afronden op 35 %. Ben ik nog 65 % maagd. En dat blijf ik tot mijn vijftigste verjaardag.

- Seks is voor sukkels en idioten. Er is geen klap aan.

- En je vriendje gaat gewoon weg en laat je achter op een bevlekt blauw eenpersoonsmatras.

- Hij moet blij zijn dat ik met hem wilde! Gaat-ie een beetje lopen zeuren, die zeikjanpisstraal.

'Nou, dag dan maar.'

Ik antwoordde niet.

Ik hoorde hoe hij inademde om iets te zeggen, maar er kwam niets, alleen een uitademing.

Hij ging.

Drie seconden later kwam hij terug. 'Ga je echt niet mee?'

'Ik moet op Lottie wachten.'

'O. Oké. Zie je, dan maar.'

'Zie je.'

Ik trok mijn kleren aan en ging weer liggen. Hoe kon iets zo verkeerd gaan? Wat had ik fout gedaan? Ik kon alles nog precies terughalen, maar ontdekte niets. Ik had natuurlijk ook niet echt vergelijkingsmateriaal, geen eerdere seks. Misschien was er iets mis met mij. Misschien had mijn moeder me dicht laten naaien als baby. Misschien klopte mijn lichaam gewoon niet.

Maar misschien was het ook goed dat het zo was gegaan. Het kon hierna alleen maar beter worden. Ik duwde mezelf omhoog. Lottie. Die moest ik hebben.

Ik viel terug op de matras. Ik had de kracht niet om op te staan. Er zat een huil in mijn onderbuik en die wilde eruit. Geen gewone mensenhuil, maar een wolvenhuil.

Een klop. De deur ging open. Lotties stem: 'Ah, hier ben je.'

'Ja.'

'Ik zocht je. Jurg is weg.'

Alsof ik dat niet doorhad. 'O,' zei ik op mijn ongeïnteresseerdst.

'Wat is er gebeurd?' vroeg ze.

'Shit. Dat is gebeurd.'

'Je hebt het gedaan, zie ik.'

'Hè, hoezo? Nee, niet.'

Lottie pakte een kapotgescheurde condoomverpakking van de grond. Snel keek ik om me heen, voelde onder me, maar het condoom zelf was gelukkig nergens te bekennen. Hij had het blijkbaar meegenomen. Misschien als leuk aandenken, voor in het plakboek.

Ze schoof me een eindje opzij en ging naast me zitten. 'Hoe ging het dan?'

'Niet. Het ging gewoon niet.' Ik had zin om me op te rollen tot een kuikenbolletje.

'Nou ja, wat maakt het uit? Doe je het toch gewoon nog een keer?'

'Nee, bluh.'

'Waarom is Jurg eigenlijk weggegaan?'

'Ik weet niet.'

'Typisch weer, zo'n jongen. Eerst meegaan en dan... weggaan.'

'Heb jij iets gedaan met Rikzo?'

'Ja, maar niet alles.'

'Hoeveel dan?'

'Hij heeft mij gevingerd.'

'En heb jij ook iets bij hem gedaan?'

'Ja, afgetrokken.'

'En dat gíng gewoon?'

'Ja hoor. Waarom zou het niet gaan?'

Dat had ik weer. Iedereen wist precies wat hij of zij moest doen, behalve ik. Ik moest daar maar eens over doorvragen, maar niet nu. Nu wilde ik een kuikenbolletje zijn.

'Kom.' Lottie stond op en stak haar hand naar me uit. 'Naar huis, het is laat, het is –'

'Sst, ik wil niet weten hoe laat.' Ik pakte haar hand, liet me omhoogsjorren en maakte mezelf daarbij wat zwaarder dan eigenlijk nodig was.

Een briefje op tafel. 'Ben even weg, zo terug, ga maar vast naar bed. Y.'

Nu wilde ik wél weten hoe laat het was. Het was 2.13 uur volgens de keukenklok. Waar zou ze zijn? Hoe laat had ze dit geschreven? Zo terug, stond er. Was ze dan pas om half twee of zo weggegaan? Nee, dat kon niet, dan had ze me allang gebeld: waar ben je, wat doe je, waar zit je, het is veel te laat, kom onmiddellijk hier. Het was woensdag. Moest ze morgen niet werken? Ze ging nooit zomaar weg 's avonds. Nou ja, ik kon beter blij zijn dat ze er niet was. Ik had gezegd dat ik niet laat thuis zou zijn. Had ik haar weer moeten overtuigen dat twee uur 'niet laat' is en dat je, als je dat wel vindt, niet helemaal van deze wereld bent. Of gewoon oud. Het voelde nog steeds kut in het tussenbeense gebied. Gekneusd. Alles was gekneusd, ook ik. Kneus. Zin om even tegen iemand aan te kruipen, weg te kruipen, het kuikenbolletjesgevoel. Mijn moeder was alleen niet zo'n warme, zachte moederkip. Toch wilde ik het. Donsje, aaitje, kusje, alles lief en klein.

Ik liep naar de kamer en ging in het donker op de bank zitten, in dezelfde houding als vijf dagen eerder bij de Koekjesfabriek, benen opgetrokken, armen eromheen, hoofd ertegenaan.

Andere bank, zelfde houding.

De deur ging open. Ha, daar was ze. Lekker zo blijven zitten, zielig zijn, me nog wat kleiner maken. Als ze me zo aantrof ging ze misschien wel naast me zitten, met donsje aaitje kusje.

'Sst,' hoorde ik haar stem. Zachtjes, precies zoals ik nodig had. Ze kwam dichterbij, ik hoorde haar voetstappen achter me. Haar vier voetstappen.

Vier?

'Eén drankje, meer niet, dan moet je echt weg.'

Er was iemand bij haar.

'Ga zitten.'

Ik tilde mijn hoofd van mijn benen en keek op.

Daar stond hij, met grote, verschrikte ogen.

S.

S.

S.

We keken, staarden, gestold.

Het besef droop dik en langzaam op me, als stroop, het droop langs me, in me, door me heen.

Het was niet Pinkie, op wie...

Was het maar zo.

Was het in allejezusheremehemelsnaam maar zo.

En nu hang ik hier dus. Nog steeds. Boven Kiek, dominee Weil en alle aanwezigen. Zweet, tranen, goddelijk gemurmel. Alles wat er tot nu toe is gebeurd, tot aan afgelopen nacht, is net door me heen geflitst als een snelle film. Zo een waarbij je de plaatjes ziet maar geen kans krijgt om ze te verwerken. Het wordt tijd om terug te keren en aan de slag te gaan. Er moet veel gebeuren voordat alles weer in orde is. Want in orde zal het komen, dat weet ik. Ik heb een Plan. Het werd me net ingegeven.

Misschien was de Here Jezus wel tot mij gekomen in de vorm van Een Plan. Een Puik Plan. De wegen van de Here zijn ondoorgrondelijk, toch? Niemand weet ooit in wat voor vorm Hij aan je verschijnt, toch? Hij kan van alles zijn. Waarom dan niet een Plan?

Een zachte plof. En daar was ik weer, in Kieks lichaam. Mijn lichaam. Dominee Weil haalde zijn hand van mijn hoofd.

'*Gone is the devil*,' riep de dominee. '*Wanda is healed! Good work, Wanda!*'

Het publiek applaudisseerde uitzinnig. Ik voelde me een popster, had de neiging om te buigen, te zwaaien en kushandjes te werpen. Maar dat was waarschijnlijk niet de bedoeling.

'Hou contact,' zei de ezelman tegen me. 'We willen graag weten hoe het verdergaat. De duivel is weg, maar zodra hij een kier ziet, kruipt hij terug. Een klein spleetje is genoeg voor hem. Hou de boel goed dicht, Wanda.'

Ik weet dat de ezelman niet het zazazorium bedoelde, maar ik moest er toch aan denken. Ik stelde me voor hoe de duivel daar naar binnen kroop, shit. Het gepruts van vannacht, bah. Stel dat het wél 100% was gelukt, in plaats van 35%. Dan had ik me een sekssucces kunnen voelen. Maar had ik dan niet 65% méér spijt gehad? Gaf ik eigenlijk wel echt om Jurg? Was hét... was Jurg misschien alleen een soort verdovend middel? Iets voelen om iets anders niet te hoeven voelen, zoals Ron had gedaan met drank en drugs?

Het was in elk geval geen feestelijke lintjesdoorknipactie geweest, zoveel was duidelijk.

Dat alles dacht ik, terwijl ik naar de ezelman knikte.

De ezelman knikte met zijn hoofd naar links.

Ik knikte terug.

Hij gebaarde met zijn hand: die kant op.

O, ik mocht weg. Het was voorbij. Ik liep het podium over en het trapje af. Het was raar, maar ik schaamde me totaal niet, ook al dacht de hele zaal nu van alles over me. Het maakte me juist interessant en bemind. Ik miste het nu al een beetje, merkte ik, de aandacht, de liefde, de zorg. De hele tent had van mij gehouden, zo voelde het, en nu was dat weer over. Nu ging hun liefde naar de volgende patiënt. Het was voorbij.

En het begon.

Ik moest de stoelenrij langs om bij mijn plek te komen. De mensen gaven me klopjes op mijn rug en mijn arm en glimlachten naar me.

'We houden van je, Wanda,' zei een vrouw.

Ik kan het iedereen aanraden, zo'n bekeer- en heelgebeurtenis. Je wordt bestrooid met warme wolken liefdesconfetti.

Ik kwam langs Lies. 'Hoezo "Wanda"?' vroeg ze.

Ik schuifelde snel door, langs Ron. 'Super, Kiek!' zei hij.

Ik ging zitten. Lies boog zich naar me toe. 'Kiek, wat was dat nou, met dat "Wanda"?'

'Niks. Gewoon,' antwoordde ik.

Ron sloeg zijn arm om me heen en keek naar Lies. 'Wat maakt dat nou –'

'En dan de rest,' praatte ze over Ron heen. 'Wat was dat voor raar verhaal, over die prostitutie?'

'Ze hadden me niet goed begrepen,' antwoordde ik.

'Ja, ze maken dingen vaak erger dan ze zijn,' zei Ron.

'Hoe kom je dáár nou bij?' Lies was duidelijk geërgerd. Ze leek opeens wel vijftig in plaats van veertig, door alle extra rimpels.

Toen moesten we meedoen met bidden, want er was iemand op het podium die het moeilijk had. Ik weet niet waarmee.

Er gebeurde hierna nog een heleboel en ik leerde veel. Zoals dat je spataderen krijgt van opgekropte woede en dat vrouwen met eierstokproblemen een hekel hebben aan mannen. Nou ja, volgens dominee Weil dan. En dat álles, niet alleen dit, maar álles, is op te lossen door vergeving: het slechte loslaten en de Heer toelaten. Duivel d'ruit, Here d'rin, daar kwam het simpel gezegd op neer.

Lang niet iedereen die op het podium stond kwam aan de beurt. Net toen ik me afvroeg hoe lang we hier nog moesten zitten, was het ineens afgelopen. De wachters gingen op een rij voor het podium staan, hun gezicht naar de zaal. Er kwamen extra wachters bij, die tot dan toe in het publiek verstopt hadden gezeten. Ze hadden precies zulke slechtzittende pakken aan als de anderen, dus echt goed waren ze niet verstopt. Je zag zo dat ze er ook bij hoorden. De mensen op het podium werden straks geholpen door de pastors, legde Lies uit. Pastors, zo noemde zij de wachters. 'Maar heelt dat dan net zo goed? Zonder dat de hele tent meehelpt, bedoel ik?'

'Ja, natuurlijk.'

'Maar waarom is die hele tent dan nodig? Dan kun je toch net zo goed één wachter opzoeken, als je een probleem hebt?'

'Ze heten pastors.' Ze negeerde mijn vraag, terwijl het toch een goede vraag was. Ik had het idee dat ze boos op me was. We liepen de tent uit, tussen de andere mensen, het paadje af richting parkeerplaats. Voor ons stonden twee wachters met een man.

'Hé, kijk,' fluisterde ik tegen Ron. 'Dat is de man met het been. Die als eerste aan de beurt was.'

We liepen langs ze. 'De pijn in mijn been is weg,' hoorde ik de man zeggen. 'Maar nu heb ik barstende koppijn.'

Ik kon niet meer naar huis. Hoe zou dat kunnen, na alles? Stel dat ze gingen zoenen, stel dat ze gingen samenwonen, stel dat ze... weet ik veel wat allemaal. Daar kon ik echt niet bij zijn. Ik werd gek als ik eraan dacht. Toch ging ik. Ik móést uitzoeken hoe het precies zat tussen hem en haar. Tanden op elkaar en doorbijten.

Ron zette me zoals altijd af op de hoek van de straat. Het leek hem beter om me niet tot aan de deur te brengen, hij had niet zo'n zin in een plotselinge ontmoeting met Yvonne. Dat had hij de eerste keer dat hij me terugreed gezegd.

'En als het niet plotseling is, dan?' had ik toen gevraagd.

'Hm, hangt ervan af.'

'Waarvan af?'

'Hoe boos ze nog is.'

'O, dat valt best mee. Het wordt steeds minder.' Dat was natuurlijk keihard gelogen, maar ja, soms had je niet zo'n zin in de keiharde waarheid. En achteraf gezien bleek het leugentje wel slim. Het paste goed in mijn plan dat Ron dacht dat ze steeds minder boos was.

'Ik kom morgen weer bij jullie,' zei ik toen ik was uitgestapt.

'Goed?'

'Mooi, dan praten we verder,' zei Ron.

'Goed,' zei Lies tegen me. Ik had nog steeds het gevoel dat ze koeltjes deed, maar kon niet echt bedenken waarom. Voor het plan was het trouwens wel handig als ze mij niet zo leuk vond. Ik liet het dus maar zo.

'Laat alles maar even bezinken,' zei Ron. 'Het is best veel.'

Het plan, o heremeheer, bedankt voor het plan. Het plan was het houvast in deze donkere tijd waarin ik geen grond meer onder mijn voeten voelde. Het plan, mijn nieuwe grond. Het plan, daar kon ik op bouwen. Het plan was mijn geloof, mijn hoop, mijn God en mijn Jezus, de reden dat ik nog steeds kon vertrouwen.

Ze hadden niets te veel gezegd. De bekering redde me en veranderde mijn leven. Ik voelde me nu al gered en veranderd.

'Waar was je?' vroeg mijn moeder. Ze zat op de bank. Goddank alleen.

'Bij Ron en Lies. Dat stond toch op het briefje?'

'Ja, maar meestal ben je dan eerder thuis. Of je blijft daar slapen. Het is al halftwaalf.'

Ik ging naast haar zitten en bekeek haar. Er was niets anders aan haar te ontdekken dan anders. Misschien viel het allemaal mee. Misschien was ze niet verliefd, vond ze hem alleen leuk om een keer wat mee te drinken. Hij was natuurlijk bassist, en ze hield niet van bassisten. Bovendien was hij veel jonger dan zij. Véél jonger. Wel acht jaar, of zo. Maar als ze hem alleen leuk vond om iets mee te drinken, zou ze dan om kwart over twee 's nachts thuiskomen, terwijl ze de volgende dag moest werken?

Jawel hoor, o, jawel. Vroeger was ze ook een feestbeest. Dat kwam nu gewoon weer terug. Ze wilde ook helemaal geen vriend meer. Dat had ze een tijdje geleden nog gezegd.

Er kwam een andere gedachte op. Misschien had ik me vergist. Misschien was hij tóch gewoon verliefd op Pinkie en gebruikte hij mijn moeder om zijn liefdesproblemen aan te vertellen. Dat was veel logischer. Ze was natuurlijk veel te oud voor hem, ongeveer honderd jaar. Waarom zou hij met zo'n oud iemand willen? Ja, dáárom waren ze zo laat thuis. Hij had veel problemen te vertellen. Tss, waarom reageerde ik altijd meteen zo heftig, zonder eerst uit te zoeken hoe het precies zat? Gewoon rustig blijven, dan viel het allemaal vast wel mee. En nu was ik rustig. Dat kwam door de Helende Heer. Ik voelde me... schoner, of zo. Alsof er iets weg was.

'Nog even over vannacht,' begon mijn moeder.
Ik trok mijn benen op de bank.
'Waarom was je nog zo laat op? En waarom rende je ineens weg?'
Ik was naar boven gestormd na de ontmoeting met S., we hadden niet één woord gewisseld. In bed luisterde ik naar alle geluiden die ik op kon vangen. Dat waren er niet veel. Na een kwartier ging hij weg.
Vanochtend was zij al naar haar werk toen ik opstond. Ik ging naar Ron, want dat is wat je doet op zo'n moment: je gaat naar je biologische vader. Als je die hebt tenminste, en ik had hem. De biologische vader had tenminste tijd. Ik dacht ook ineens aan die Heer-in-de-tent-bijeenkomsten waar Ron het eerder over had gehad. Hij had zaterdag voorgesteld, maar misschien konden we wel meteen. Hij en ik, samen. Misschien kon ik vandaag nog bekeerd en gered worden, net als hij. Misschien zat er eindelijk eens iets mee.
Het zat mee.
Lies bleek ook mee te gaan, maar dat moest dan maar.

'O, gewoon,' antwoordde ik op mijn moeders vragen. 'Ik had eerst geen zin om te slapen. En toen ineens wel. Waarom was jíj zo laat thuis?'

'Ik was even wat drinken.'

'Dan was het wel heel gezellig, zeker?'

'Hoezo?'

'Nou, dat het zo laat werd.'

'Valt best mee, zo laat was het nou ook weer niet. Voor een volwassene, bedoel ik.'

'Maar je moest vandaag werken.'

'Nou ja, zo vaak ga ik niet uit.' Ze glimlachte en duwde even tegen het vel onder haar ogen. 'Die wallen trekken wel weer weg.'

'Waarom gingen jullie wat drinken?'

'Hoezo, waarom?'

'Gewoon, zoals ik het zeg. Waarom?'

'Eh... waarom gaan mensen uit? Omdat ze daar zin in hebben, denk ik.'

'Maar waarom met hém?'

'Hij vroeg me.'

'O ja?'

'Al een paar keer. Nu zei ik maar eens ja. Best leuk, even wat drinken.'

'Hij is toch veel te jong voor jou?'

'Ja, natuurlijk.'

'En je wilt toch helemaal geen vriend?'

'Nee, al dat gedoe.'

'En je houdt niet van muzikanten.'

'Nee, helemaal niet.'

'Dus er is niks, tussen jullie. Je wilt niks met hem.'

Daar was-ie. De aarzeling. Die ene aarzelseconde vertelde meer dan drie boeken volgeschreven met het woord 'jawel' zouden kunnen.

'Neuh,' zei ze.

Aarzel. Neuh.

Dat betekende: er is iets tussen ons, en dat zou wel eens méér kunnen worden.

Gelukkig lag het plan klaar. Het hoefde alleen maar uitgevoerd. Het móést uitgevoerd. Wat kon ik anders? Ik zag geen andere manier. Behalve dan bij Ron gaan wonen en nooit meer naar haar toe gaan, maar ik wilde haar niet kwijt. Ik wou op dit moment dat ze niet bestond, maar ik wilde haar niet kwijt.

Ik ging de volgende dag eerst naar Lottie om het plan te bespreken. Misschien had zij nog goede tips. Het was namelijk niet zo'n simpel plan. Het bestond uit meerdere stappen, die allemaal goed moesten gaan.

Stap 1. Ron moet ophouden met in God geloven. Eigenlijk was dit de enige stap die niet zo gemakkelijk te regelen was. De rest viel wel mee.

Stap 2. Yvonne moet ophouden Ron te haten. Dit léék moeilijk, onmogelijk zelfs, maar eigenlijk hoefde ze hem alleen maar even opnieuw te leren kennen. Dan zou ze zien dat hij heel anders was. Dat hij nu was wie hij écht was, en vroeger niet.

Stap 3, 4, 5. Die volgen dan vanzelf. Lies maakt het uit met Ron, want zij wil per se iemand die in God gelooft. Ze vindt gauw genoeg iemand anders, het barst van de mannen die in God geloven. De grote tent zat er vol mee.

Yvonne wordt weer verliefd op Ron, want hij is natuurlijk haar eerste, grootste, waanzinnigste liefde. Zo'n liefde gaat nooit over. Ik wist er nu alles van.

Ron beseft dat hij helemaal niet echt van Lies heeft gehouden, en dat Yvonne veel leuker en knapper is. Bovendien hebben ze samen een geweldige dochter. Ron en Yvon vallen in elkaars armen en weten dat ze nooit meer zonder elkaar willen zijn. Er wordt een film gemaakt over hun bijzondere leven en liefde, vol ellende en hindernissen. Stoffel ziet in dat Yvonne maar een rare ouwevrouwenbevlieging was en emigreert naar New York. Kiek ontmoet zijn jongere broer, ze worden verliefd en blijven altijd samen. Iedereen is gelukkig. *The end.*

Nou ja, een beetje overdreven misschien, meestal loopt alles niet zó perfect, meestal gaan er dingen mis, maar het plan zat wel behoorlijk geramd. Ik wist alleen niet of Stoffel een jongere broer had, maar dat hoefde natuurlijk ook niet per se. Met Stoffel zelf zou ik hoe dan ook nooit meer iets kunnen hebben, dat was logisch. Als een jongen je moeder leuker vindt dan jou, dan houdt het wel zo'n beetje op. Ook al zou het een grote vergissing van hem blijken, het kon nooit meer goed komen, hoeveel je ook van iemand hield.

Ron en Von. Mijn vader én mijn moeder. Het zou niet alleen de problemen oplossen. Het zou ook de pijn verzachten.

'Ben je niet bang dat Ron weer aan de drugs gaat?' vroeg Lottie. 'Hij is van de drugs afgekomen dankzij het geloof, toch?' We zaten tijdens de planbespreking in Lotties tuin, onder de appeltjes. Het was vandaag ook weer warm. Ik had haar alles verteld, het hele plan, maar ik had het deel weggelaten waarin S. verliefd was op Yvonne. Sommige dingen zijn te erg. Bovendien kon ik haar niet meer vertrouwen. Ze vertelde dingen door.

'Nee,' antwoordde ik. 'Daar ben ik niet bang voor. Het gaat hem niet om het geloof of om God, maar om de mensen.'

'Hoe weet je dat?'

'Zoiets zei hij een keer. Hij heeft mensen nodig die om hem geven. Die had hij vroeger nooit, en hij vond ze in de Ontmoeting. Zo heet die kerk. Maar straks heeft hij óók mensen die om hem geven. Wij. Ik en mijn moeder. Dat is beter dan kerkmensen.'

'En dan zijn jullie een gezin. Een normaal gezin. Een echte vader en een echte moeder en jij.'

Er rolde een warme prikkelbol door me heen, de haartjes op mijn armen gingen omhoogstaan. Het zou écht kunnen, het was niet alleen maar een fantasie. Stel je voor.

Normaal. Normaal. Normaal. Wij waren nooit normaal geweest, ik, mijn moeder, Wieger. Het was bij ons altijd anders dan bij anderen.

En nu lag het zomaar voor het oprapen. Nou ja, bijna. Ik moest alleen nog even iemands geloof om zeep helpen.

Iemands geloof om zeep helpen is vast gemakkelijker als er niet steeds een waakhond bij zit. Had ze nooit eens iets te doen, de kerktoren soppen, of zo? Lies werkte in de thuiszorg, maar meestal alleen 's morgens. 's Morgens komen had alleen weinig zin, want dan lag Ron nog in bed. Hij werkte vooral 's avonds en 's nachts. Bovendien had Lies nu vakantie van haar werk. Het schoot niet op.

Ik zat die middag weer in de tuin, nu bij Ron thuis. We hadden uitzicht over gele akkers. Bloeiend graan, volgens Ron.

'Ik wou het toch nog even over gisteren hebben,' zei Lies. 'Het zit me niet lekker.'

'Wat niet?' vroegen Ron en ik tegelijk.

'Dat je zegt dat je Wanda heet, dat je rare verhalen vertelt aan dominee Weil, ik weet niet. Het is alsof je het niet echt serieus neemt. Alsof je de draak ermee steekt.'

'Dat doe ik niet,' zei ik. 'Echt niet. Ik durfde mijn echte naam niet te zeggen. Ik was bang dat mijn moeder erachter zou komen.'

'Wat heb je dan voor achternaam opgegeven?' vroeg Ron.

'Wafelmans.'

Er spoot wat thee uit Rons mond. 'Wanda Wafelmans?'

'Waarom mag je moeder het niet weten?' vroeg Lies.

'Ik mag me toch niet zomaar bekeren?'

'Het geloof is niet iets wat mag of niet mag. Het is iets wat je vóélt. Daar kan je moeder niks aan doen.'

'Ik dacht dat het geloof iets was wat je gelóófde.'

'Ja, én voelt. Heb je niks gevoeld dan, gisteren?'

'Jawel, ik heb van alles gevoeld.' Ik dacht aan de hand van William K. Weil, het zweet, de hitte, het kokhalzen.

'Wanda Wafelmans. Hoe kom je erbij?' Ron zat te grinniken in zijn plastic tuinstoel.

'Ga zondag gewoon met ons mee naar de dienst,' zei Lies. 'Dan kun je ook eens met andere mensen praten. Er zijn ook kinderen van jouw leeftijd, dat is misschien prettiger voor je.'

Kinderen? Pff. Die Lies was echt... nou ja, laat ook maar. Niet helemaal van deze wereld, of zo. Ron zou echt beter af zijn zonder haar. Ze bemoeide zich óveral mee, ze zat áltijd overal met haar neus bovenop, nou ja, bijna altijd, alleen niet als we... Hé, Driesteen!

'Ik heb een tekst gemaakt,' zei ik tegen Ron. 'Zullen we daar samen muziek bij maken?'

'O leuk, laat maar lezen,' antwoordde hij. 'Maar dan moeten we wel naar boven. Dan kunnen we meteen kijken wat voor muziek erbij moet.'

Ik had na het Driesteenmoment om papier en pen gevraagd en was een eindje gaan lopen. Bij een gele akker ging ik in de berm zitten en sloeg het schrijfblok open.

Ze zat nooit in de studio, dat had ik opeens beseft. De studio was Rons plek. Onze plek. Misschien had ze een hekel aan muziek. Alweer een reden dat Ron niet bij haar paste. Mijn moeder hield wel van muziek. Misschien niet van muzikanten – of juist wel? – maar wel van muziek.

'Goed hoor. Gaat het over Jezus?' Ron had mijn tekst gelezen. We zaten boven, in de studio.

'Nee,' zei ik, terwijl ik een lok haar om mijn wijsvinger draaide. 'Het gaat niet over Jezus.'

Hij keek weer naar het schrijfblok en bestudeerde de tekst.

'Het gaat over jou,' zei ik. 'Over ons.'

Hij zei niks. Hij keek me aan. Zijn ogen vertelden wat hij niet zei. Het was fijn om niks te zeggen. Soms waren dingen ook veel duidelijker als je niks zei.

'Aha. Zo.' Hij schraapte zijn keel. 'Wat voor instrumentatie had je bedacht?'

'O, maakt niet uit. Als het maar mooi is.' Ik wist niet precies wat instrumentatie betekende. Nou ja, iets met instrumenten natuurlijk, maar wat precies? Maar we waren nu collega-muzikanten, dus ik ging geen domme vragen stellen.

'Ik denk een piano,' zei Ron. 'En van daar bouwen we het uit.'

'Ja, zoiets denk ik ook. Of we maken een keihard rocknummer.'

'Ik vind "keihard" niet echt bij deze tekst passen.'

'Misschien is dat juist wel leuk, iets doen wat niet past.'

Even zei hij niets en toen lachte hij. 'Je hebt gelijk. Waarom moet het altijd passen?'

'Precies. Net als sommige mensen. Dan denk je ook van: hé, dat past helemaal niet, en toch zijn ze dan samen.'

'Wie dan?'

'Nou, bijvoorbeeld eh... jij en Lies. Ik denk wel eens van: hé, dat past niet samen en toch zijn ze samen.'

'O? Waarom past het niet, volgens jou?'

'Jullie zijn zo ánders. Jij bent...' Jij bent knap, zij is lelijk, wilde ik zeggen, maar dat ging misschien te ver. 'Jij bent wat eh... wilder en zij is wat gewoner. Saaier. Zo lijkt het tenminste. Jij bent gemakkelijk, zij is strenger. Enzovoort.'

'O, maar ik ben helemaal niet wild. Die tijd is voorbij. En ze is rustig, niet saai.'

'O.'

'Ik leid een totaal ander leven dan vroeger. Daar horen andere mensen bij.'

'Behalve natuurlijk als die mensen van vroeger zelf ook heel anders zijn, nu.'

'Misschien. Ik heb met bijna niemand meer contact, van vroeger.'

'Yvonne bijvoorbeeld, die is nu heel anders. Zij is ook rustig. En helemaal niet saai.'

'Nee, jouw moeder is vast niet saai.' Ron zette zijn keyboard aan en begon te pingelen.

'**Blijf je eten, Kiek?**' Lies stak haar hoofd om de deur van de studio.

'Nee, ik ga naar huis.' Ik was heel goed bezig, maar moest ondertussen ook nog de schade aan de andere kant van het plan beperken. Dat wilde zeggen: zorgen dat er niemand verliefder werd dan hij of zij – misschien – al was en dat er zo weinig mogelijk afspraakjes gemaakt werden.

'Dat wilde ik even weten.' En weg was ze weer.

Ik snapte steeds minder wat Ron in haar zag. Alles aan haar was kleurloos, zag ik ineens: haar haar, haar gezicht, haar kleren, haar stem. Het enige wat ze samen hadden was dat stomme geloof.

'Nog even over gisteren, Ron,' zei ik. Ik wiebelde met mijn stoel naar achteren, mijn voeten op de computertafel. 'Ik geloof niet dat het is gelukt.'

'Wat niet?'

'De bekering. Ik heb mijn best gedaan, echt waar, maar ik geloof niet dat ik het allemaal kan geloven, dat geloof. Ik denk het niet.'

'Je moet niet dénken, je moet vóelen.'

'Maar ik voel het niet.'

'Het heeft tijd nodig. Dat was bij mij ook zo, hoor. Het kwam niet in één keer.'

'Ik weet niet of het wel echt bij mij past, bekeerd zijn.'

'Waarom deed je het dan?'

'Ik was... nou ja, gewoon. Jij vindt geloven wél leuk, toch? Ik dacht: misschien is het voor mij ook leuk. En mijn leven is nogal... Alles ging mis. Het leek opeens een goed idee.'

'En toen opeens weer niet?'

Zoals hij het zei, leek ik nogal wispelturig. 'Ja, nou ja, maar ik heb er heel veel aan gehad.'

'In één dag al?'

Ik knikte. Het klonk misschien alsof ik maar wat verzon, terwijl dat niet zo was. Maar ja, ik kon hem moeilijk over het plan vertellen. 'Ik zie alles beter nu. Ik weet weer hoe ik verder moet.'

'Met die jongen bedoel je?'

Ik knikte. 'Dat soort dingen. Alles was compleet... klote. Is.'

'Ik ken het gevoel.'

'En dan mis je het ook wel dat je geen vader hebt. Ik bedoel: ik heb jou, maar jij bent hier, en ik heb Wieger, maar die is druk met zijn eigen kinderen.'

'En toen dacht je: misschien dat God een vader kan zijn?'

'Eh... ja, zoiets.'

Dat was nog helemaal niet in me opgekomen.

'Dat kan hij inderdaad,' ging Ron verder. 'Zeker. Maar ik wil het ook zijn. Je vader, bedoel ik, voor zover dat nog mogelijk is. Je kunt me in elk geval altijd alles vertellen.'

'Misschien kun je wat dichterbij wonen.'

Bij ons in huis, bijvoorbeeld.

'Nee, ik kan niet in de stad wonen. Nu niet. Misschien wel nooit meer. Te gevaarlijk, te veel verleidingen. Ik heb er ook geen geld voor, trouwens.'

'Hoe betaal je dit huis dan?'

'Het is van Lies. Ze woont zelf nog bij haar moeder, maar ze heeft het –'

'Bij haar moeder? Maar ze is hartstikke oud.'

'Ze is 28. Dat is jong, hoor.'

Hèèè? Uit alle macht hield ik mijn gezicht in de plooi. Ik had al die tijd gedacht dat ze ongeveer veertig was. 'Eh... ja, maar het is wel oud om nog thuis te wonen. Toch?'

'Ja, dat wel.'

'Horror. Ik moet er niet aan denken.'

'Aan thuis wonen, als je 28 bent?'

'Eh...' Foutje, bij Yvonne wonen moest juist aanlokkelijk lijken. 'Jawel, maar ik hoop gewoon dat ik dan al op mezelf woon. Of samenwoon met mijn vriend, of zo.'

'Of dat je getrouwd bent.'

'Ja. Waarom zijn jullie eigenlijk nog niet getrouwd?'

'We wilden eerst zeker weten dat we bij elkaar hoorden. Dat weet je niet meteen.'

'O nee? Volgens mij wel.'

'Ik denk dat Lies ook zeker wil weten dat ik niet terugga naar vroeger. Naar hoe ik was.'

'En jij? Weet jij zeker dat je bij haar hoort? Hou je van haar?'

'Ze is geweldig. Ze heeft alles voor anderen over. Ze is lief, zorgzaam, slim, lief –'

'Lief heb je al gezegd.'

'O. O ja.'

'Dus zij is je grote liefde? Alles wat je wilt in een vrouw?'

'Ik voel me rustig bij haar.'

Terwijl hij dat zei, merkte ik dat hij onrustig werd. Hij begon weer op het keyboard te pingelen. 'Zoiets misschien, wat dacht je van zo'n soort lijntje? Hé wacht, luister, dit misschien...'

Het gesprek was blijkbaar afgelopen.

Voor nu.

Ik kreeg geen duidelijke antwoorden en ergens ook wel. Ik zat op de goede weg.

'Ga je niet uit vanavond?' vroeg ik aan mijn moeder tijdens het eten.

'Ik denk het niet, waarom?'

159

'Het is vrijdag. Sommige mensen gaan uit op vrijdag.'
Ik hield haar scherp in de gaten: ogen, beweging, stem. Was ze anders? Vrolijker? Zachter? Uitbundiger? Stiller? Tot nu toe kon ik niet echt iets anders aan haar ontdekken.

Ik hield haar in de gaten, maar eigenlijk wilde ik het uitgillen terwijl ik haar door elkaar schudde: IS ER WAT TUSSEN JULLIE?! VERTEL HET!!

In plaats daarvan gooide ik maar eens een balletje op, om te kijken of – en zo ja: hoe – ze hapte. 'Hij werkt in een café hè, Stoffel?'

'Ja.'

'Achter de bar. Jongens achter de bar krijgen heel veel aandacht van meisjes.'

'Hoe bedoel je?'

'Gewoon, dat is zo.'

'Ja.'

We aten verder.

'Laatst was hij met zo'n heel mooi meisje, helemaal perfect. Hoe heet ze... Ze zit bij hem in de band.'

'Pinkie?'

Shit, ze wist al van Pinkie. 'Ja, heeft hij daar wat mee?'

'Volgens mij niet. Ze zijn bevriend.'

We aten verder.

Ze vroeg: 'Hoe was het op het platteland?' Bij Ron, bedoelde ze. Maar ze wilde zijn naam nog steeds niet zeggen. Niet als het niet echt nodig was.

'Plat. Met veel land.'

We aten verder.

Ik zei: 'Ron heeft een nummer voor me gemaakt.'

Nu had ik haar interesse gewekt. 'O ja?'

Ik knikte, met mijn mond vol rijst. Ik kon er niks aan doen

maar even schoot het door me heen: *voor míj. Hij heeft nog nooit een liedje voor jóú gemaakt en wel voor mij.* Maar toen bedacht ik dat Stoffel dat misschien wél zou doen, en de lol was er meteen af.

'Mooi liedje?'

Ik knikte weer. 'Heel mooi. Ik heb er ook een voor hem gemaakt. Wil je ze horen?'

'Eh...'

Dat was een goeie. Ze wilde niks wat met Ron te maken had, maar alles wat met mij te maken had. Ze wist het even niet meer. Ze nam een hap en snel daarna nog een.

'Ik neem de liedjes wel mee als ze klaar zijn,' zei ik.

Ze reageerde niet. Wel zei ze: 'Hoezo weet jij eigenlijk dat jongens achter de bar veel aandacht krijgen en hoezo weet jij dat Stoffel laatst met Pinkie was? Waar was je dan? Weet ik daarvan?'

'Gewoon, ik was ergens. Ik kom wel eens ergens.'

Er gebeurde een wonder. Ze vroeg niet door en maakte er geen drama van. Ze zei 'hm' en nam een hap.

Hoe was het mogelijk?

Ik kreeg een bericht van Jurg. `Wil effe praten. Wanneer kun je?` Geen kusje, geen groetje, geen uitleg, niks.

Ik stuurde niets terug. Ik wist nog niet wanneer ik kon. Er waren nu belangrijker dingen.

'Ik ga naar Lottie,' zei ik tegen mijn moeder. Ik had geen zin om de hele avond thuis te zitten bij mijn moeder. Voor vandaag had ik haar genoeg in de gaten gehouden.

'Op tijd weer terug, hè?'

Lotties moeder deed open. 'Ha Kiek, kom binnen.' Ze loodste me naar de woonkamer. Wat was er aan de hand? Normaal liep ik altijd meteen door naar boven.

'Ga zitten.' Zelf ging ze tegenover me zitten.

'Waar is Lottie?' Ik voelde me ongemakkelijk. Ik was nooit alleen met Lotties moeder. Ze was wel aardig, daar niet van, maar... ik weet niet.

Ze gaf geen antwoord. 'Vertel eens, Kiek: hoe zit het met Lottie? Ik krijg geen hoogte van haar. Wat doen jullie allemaal? Hebben jullie vriendjes? Seks? Waar zijn jullie mee bezig?'

'Eh...'

Ze stond op en liep heen en weer door de kamer. 'Jullie hebben van die vage bezigheden. Ik word er onrustig van. Straks moeten we jullie ineens weer van het politiebureau halen. Of erger.'

'Nee hoor, echt niet.' Dat was een halfjaar geleden gebeurd, en ik was niet van plan dat te herhalen.

'Dat zeg jij.' Ze liep naar een kast en trok een la open. 'Hier.' Ze hield een groot pak condooms in de lucht. 'Geef deze in godsnaam aan haar. Van mij wil ze ze niet aannemen. Ze wil sowieso niks van me aannemen. Of waar dan ook over praten.'

Mijn hoofd voelde als een skippybal zo groot, rood en rond.

'Hier.' Ze drukte mij het pak in handen. 'Voor jullie. Zeg maar dat jij ze van jóúw moeder hebt gekregen.'

'Maar... waarom denk je dat ze die dingen nodig heeft?' Ik hield het pak vast alsof het net uit het riool omhooggekropen was.

Ze zuchtte en ging weer zitten. 'Ik krijg geen contact. Ik vind verdachte vlekken, maar ze doet hysterisch als ik ernaar vraag.'

'Verdachte vlekken?' Het floepte eruit, ik wilde natuurlijk niet dat ze erover zou vertellen.

Gelukkig deed ze dat niet. Het was allemaal al gênant genoeg.

'Ik weet niet meer wat ik moet doen. Ik denk erover om haar naar haar vader te sturen. Mag die zijn tanden er een tijdje op stukbijten.'

Naar haar vader, dan was ze hier weg! 'Dat lijkt me niet zo'n goed idee. Weet je...' Ik moest nu met een goed verhaal komen. 'Misschien zegt ze niet zoveel, maar –'

'O, ze zegt een héle hoop, maar niet de dingen die ik wil horen.'

'Ik bedoel: ze doet niks raars.'

'Waarom vertelt ze dan nooit iets?'

'Misschien valt er gewoon niet zoveel te vertellen.'

'Wat vertel jij dan aan je moeder?'

'Niks. Ik zou niet weten wat ik moest zeggen.'

Ze zuchtte weer. 'Ga maar naar boven. Ze is op haar kamer.'

Toen ik opstond zei ze: 'Ik wil niet dat ze zwanger raakt. Of een geslachtsziekte oploopt. Waarom praat ze er niet gewoon over?'

Ik haastte me de kamer uit.

Konden ouders niet een zeur- en zanikclubje oprichten, zodat ze tegen elkaar konden zeuren en zaniken? Wat moest ík ermee?

Ik gooide de condooms door de lucht. Ze landden precies voor Lotties neus, boven op het tijdschrift dat ze op haar bed aan het lezen was.

'Hé, wat doe je?'

'Cadeautje.'

'Van wie?'

'Van je moeder.'

'Hè getver.' Ze wierp het pak walgend van zich af.

'Ze wil je misschien naar je vader sturen.'

'Tss. Ze doet alsof ik een of andere ontspoorde jongere ben.' Lottie ging rechtop zitten en leunde tegen de muur. 'Ik heb gewoon geen zin om haar alles te vertellen.'

'Nee, natuurlijk niet.'

'Dat doet toch niemand?'

'Ik niet.'

'En steeds dat getrek: wat doe je, wat denk je, wat voel je? Ze zaagt nog net niet 's nachts mijn schedel open om te kunnen zien wat ik droom.'

'Ik moest doen alsof ik die condooms van mijn moeder had gekregen, voor ons.'

'Jouw moeder, tss, alsof ik dat zou geloven.'

Ik plofte naast Lottie op bed. 'Ze had het over verdachte vlekken.'

'Getver!' Lottie kromp in elkaar. Toen giechelde ze. 'Er zaten vlekken in mijn rok. Ik zei dat het van een yoghurtdrankje was, maar dat geloofde ze niet.'

'Waren ze van Rikzo?'

'Eerst bemoeit ze zich tijdenlang nergens mee, en dan opeens zit ze overal bovenop. Ze is net zo'n irritante mug die steeds in je oor zoemt.'

'Dus hij kwam klaar op jouw rok?'

'Dat bleek later. We hadden onze kleren nog zo'n beetje aan. Ik had geen idee waar dat spul was gebleven.'

'Dáár dus.'

'Blijkbaar.'

'Kwam jij ook klaar?'

'Niet echt. Een beetje, misschien.'

'Hoe kan dat, een beetje?'

'Ehmm, hoe zal ik het zeggen... je glijdt door een soort heuvellandschap, bergje op, bergje af, maar je bereikt nooit de top. Niet die van de Mount Everest, in elk geval.'

Ik knikte. Ik snapte het. Als je het zelf doet is het gemakkelijker, wilde ik zeggen, maar dat deed ik niet, want we hadden het eigenlijk nog nooit over dat onderwerp gehad. Ik vond het nogal wat, om het daar opeens over te hebben.

'Het gaat een stuk gemakkelijker als je het zelf doet,' zei Lottie.

'Eh... hè? O ja.'

Ze ging verder: 'Je weet zelf precies de plekjes en de bewegingen en hoe hard en zacht en wannéér hard en zacht. Zij niet. Dáár zou Hannelore eens over moeten schrijven.' Ze knikte met haar hoofd naar *De kikker,* die naast haar bed lag, op het nachtkastje.

'Waarover?'

'Hoe je jongens duidelijk maakt wat ze moeten doen. Ik weet het zelf ook niet precies. Wat ik doe, bedoel ik, als ik het zelf doe.'

'Ja, en dan moet ze ook meteen uitleggen wat je precies met dat ding van hém moet doen.'

'O, dat vind ik niet zo moeilijk.'

'Wat doe je er dan mee?'

'Weet ik niet, ik doe maar wat.'

'Blijkbaar doe je het goed, want het leidt tot verdachte vlekken. Bij welk hoofdstuk ben je eigenlijk?'

'Bij zeven, acht, negen, tien. Die gaan allemaal over 'houwen'. Eerst moet je hem krijgen, daarna houwen. Maar dat houwen is een makkie, als je hoofdstuk één tot en met zes

goed hebt gedaan. Hoe staat het met je ééngezinsplan?'
'Goed. Denk ik. Het gaat niet zo snel, ik ben vandaag pas begonnen. Het kan wel weken duren allemaal, of maanden.'
'Kan ik ergens mee helpen?'
'Ik geloof het niet. Jawel, hier blijven. Niet bij je vader gaan wonen.'
'Ik blijf. Hoe gaat het met Jurg?'
'Geen idee, heb hem al twee dagen niet gesproken. Sinds de mislukte seks niet, dus.'
Lottie en ik hadden het woensdagnacht op de terugweg al uitgebreid gehad over dat rare gedrag van Jurg. Dat is toch belachelijk, om eerst seks te hebben en er dan vandoor te gaan?
'Misschien schaamt hij zich,' zei Lottie. 'Jongens houden er niet van als het niet lukt.'
'Het was wel een béétje gelukt.'
'Hoezo?'
'Nou, een deel zat erin, even. Een derde, denk ik. Ongeveer 35%.'
'Hoe was dat?'
'Pijnlijk.'
'Niet leuk?'
'Pijnlijk is meestal niet leuk.'
'Misschien moet je het vaker doen, dat het dan pas leuk wordt.'
'Zal wel.' Ik kon me er niks bij voorstellen.
'Als je voor 35% ontmaagd bent, kun je dan ook voor 35% zwanger zijn?' vroeg Lottie.
'Vast wel.'
'Welke 35% wil je het liefst, als je moet kiezen? Van de baby, bedoel ik.'

'Het bovenste deel, dan hoef je nooit poepluiers te verschonen.'

'Ik wil liever het onderste stuk, dan heb je geen gekrijs.'

'Hm, ja. Misschien kunnen we het middelste deel nemen, tussen net bóven vanonderen en net ónder vanboven.'

'Ja, de middelste 35%. Die nemen we.'

We wiegden allebei een denkbeeldige rompje, zeiden 'koeliekoelie-koelie' en gooiden ze naar elkaar over. Toen was het tijd om uit te gaan.

Ik wilde niet naar 't Pietertje. Maar ik moest wel. Iedereen kwam er, Rikzo en de hele groep. Ik had geen goedgenoege reden om er niet heen te willen. Een goedgenoege reden zou zijn: S. is verliefd op mijn moeder en misschien gaan ze wel uit en misschien wel in 't Pietertje. Ook al wist ik dat ze niet uitging, vanavond. Dat had ik er dan niet bij hoeven zeggen.

Maar Lottie wist niet dat S. verliefd was op Y. En dat ging ik haar ook niet vertellen. Anders kon ik het net zo goed door een megafoon van de kerktoren schreeuwen. De blunder was nu al groter geweest dan ik kon verdragen. Dankzij het met-Jurg-zijn had ik het weer wat kunnen herstellen, maar meer kon er echt niet bij. Zeker niet dit. Ik denk dat er nauwelijks iets groters te verzinnen is, qua voor gek staan: je bent verliefd, en hij is dat ook. Maar niet op jou. Op je moeder.

Shit, S. stond weer achter de bar. Had-ie nooit 'ns wat anders te doen?

'Gewóón doen' zei Lottie, terwijl ze de deur openduwde. 'Je bent helemaal over hem heen. Ook als het niet zo is.'

Ik zag dat S. een beetje schrok toen ik binnenkwam. Waarom schrok híj? Ik zou moeten schrikken. Maar dat deed ik niet.

Ik liep koelkastkoeltjes langs hem heen. Niet ijzig, niet diepvrieskoud, maar gewoon, zo van: je bestaat. Geeft niet. Er zijn ergere dingen. Lottie bestelde drinken. Bubbelwater, want dat gingen we vanavond drinken, hadden we op de fiets afgesproken. Drank was eigenlijk voor debielen en echt stoer was het pas om de hele avond water te drinken en je geweldig te voelen. We verheugden ons al op het wij-zijn-beter-gevoel dat we samen konden hebben, want anderen dronken natuurlijk wel alcohol en werden dronken, de zielige figuren.

Opeens zag ik Lottie verstijven terwijl ze naar iets achter me keek. Ik draaide me om. Daar stond Jurg. Met Sven. Die laatste was de reden van Lotties verstijving, die eerste was iemand waar ík nou net niet op zat te wachten.

We wisselden hés en hois uit.

'Wat doen jullie hier?' vroeg Lottie, overduidelijk aan Jurg zodat Sven niet zou denken dat zij hem de moeite waard vond om tegen te praten.

'We hebben afgesproken,' zei Jurg. 'Met Diede en zo. We gaan het hebben over een theaterproject dat ze willen gaan doen, met livemuziek erbij.' Jurg zei het tegen Lottie, maar zijn ogen wipten steeds naar mij.

Jurg en Sven zaten in de Swinging Tarantula's, de schoolband. Ze waren behoorlijk goed, ik had ze voor de zomervakantie nog horen spelen op het afscheidsfeest van de examenklassen. Het was toen helemaal top, want Jurg zag er cool uit met zijn basgitaar op het podium, en iedereen wist dat hij mijn vriendje was.

Wat was hij nu? Eigenlijk was het uit, maar door dat seksgedoe zou het best kunnen dat het weer aan was. Of telde het niet als het mislukt was?

Wat wilde ik? Ik had er nog niet echt over nagedacht, omdat er zoveel andere dingen gebeurden. Belangrijker dingen. Ik kon Jurg er niet goed bij hebben op dit moment. Dat voelde hij blijkbaar totaal niet aan, want hij zei: 'Heb je mijn bericht niet gekregen?'

'Welk bericht?'

'Dat ik even wilde praten.'

'O, eh... jawel.'

'Waarom stuur je dan niks terug?'

'Nog geen tijd voor gehad.' Het was niet echt een smoes die prijzen zou winnen. Maar ik wist niks anders. Ik kon moeilijk zeggen dat ik nog geen zin had gehad.

'Tss.'

'Echt, ik heb gewoon veel –'

'Weet je Kiek, stik d'r maar lekker in.' Hij liep weg en ging aan de andere kant van Lottie aan de bar staan.

Wat kregen we nu? Jurg was aardig en begrijpend en nooit boos. Dat was Jurg. Moest-ie niet opeens anders gaan lopen zijn dan hij was.

Lottie was in gesprek met Sven, ze hadden het over iets heel gewoons, ik geloof over hoe het kan dat je 's avonds je bed niet in wilt en 's morgens er niet uit, terwijl het toch hetzelfde bed is. Lottie praatte wel, maar haar woorden waren zo diepgevroren dat een pinguïn er gemakkelijk op naar de Zuidpool had kunnen varen. Dat merkte ík, Sven natuurlijk niet. Sven was een jongen. Die dacht dat ze een relaxt gesprek hadden over slapen en bedden, en dat alles oké was tussen hen. Ik had hem wel even flink de waarheid willen zeggen, zo van: hoe durf je zo gewóón te doen, terwijl je haar hebt gebruikt en afgedankt; terwijl je met haar ging als het je zo uitkwam, terwijl je helemaal niet echt verliefd was.

Enzovoort. Maar ik hield me in. Het zou voor Lottie vast niet leuk zijn om weer te horen dat ze gebruikt was en afgedankt. Hoofdstuk Sven was afgesloten, punt, einde, uit. Bladzij omgeslagen. Ze was nu met Rikzo.

Gelukkig kwam die al snel binnen, met Diede en Ivo.

'Weet Rikzo dat jij iets met Sven hebt gehad?' fluisterde ik.

'Nee, en dat houden we lekker zo.'

'Niet zo handig dan, dat ze gaan samenwerken.'

'Dat wist ik helemaal niet. Anders had ik het wel uit zijn hoofd gepraat.'

'Misschien kan dat alsnog.'

Het werd druk in het café. Er waren veel meisjes, ook meisjes die om Jurg heen cirkelden, zoals die Lutitia. Ik vertrouwde haar voor geen cent. Straks ging ze er met mijn vriendje vandoor. Ook al was hij mijn vriendje misschien niet, dan nog mocht zij er niet mee vandoor. Wat dacht ze wel niet?

Het werd steeds gezelliger. Tenminste, dat leek iedereen te vinden. Iedereen behalve ik. Ik moest boeren van de bubbels, maar dat kon me niks schelen. Niemand lette op mij, die figuur achter de bar al helemaal niet. Lottie moest ook boeren, alleen van andere bubbels. Ze dronk bubbeltjeswijn, zo bleef ze onze afspraak half trouw, vond ze. Dat was maar voor de helft zo erg als helemaal niet, vond ze.

Ik was het er niet mee eens, maar ja, wie zat er nog te wachten op míjn mening?

Kwam het omdat iedereen dronk en ik niet, dat ik voelde dat ik er helemaal niet bij hoorde? Ik weet het niet, ik voelde me sowieso al rot. Maar ik werd er wel steeds standvastiger van. De hele wereld kon mooi de lever-wegrot-tering krijgen, ik ging NIET drinken.

Zag ik het goed? Had die heks van een Lutitia haar hand op Jurgs rug? En hij liet het toe? Ik had zin om erheen te stampen en in haar gezicht te schreeuwen dat hij twee dagen geleden nog bij mij in bed lag en dat ze maar veel plezier met hem moest hebben, wat mooi niet ging lukken omdat hij er toch niks van bakte.

Maar dat ging niet. Er waren tig redenen waarom ik dat niet moest doen. Ik ga ze niet allemaal opnoemen. Iedereen kan er zelf wel een paar bedenken.

Er werd druk overlegd om me heen. Het geld begon bij iedereen op te raken, maar niemand had nog zin om naar huis te gaan. Ze waren nog maar net begonnen. Bij Ivo in de TS stonden nog wel wat flessen van 't een of 't ander.

Gaan we daarheen!

Kom op!

Let's go!

'Ga je mee?' vroeg Lottie.

'Neuj.'

'Waarom niet? Je moet.'

'Ik moet niks.'

'Jawel, je moet voorkomen dat dáár – ze knikte in de richting van Jurg en Lutitia – wat gebeurt.'

'Kan mij het schelen.'

'Nou ja, als het je écht niks uitmaakt...'

Natuurlijk wel! wilde ik schreeuwen. *Dat snap je toch wel!?*

Maar de jongensverdomming had weer toegeslagen bij haar, dubbele dosis nu met Rikzo én Sven in haar buurt. Wij waren opeens niet meer 'wij', die alles snapten en alles deelden. Anders was ze wel gebleven, zonder dat ik het hoefde te vragen. Als ik iets níét wilde zijn nu, was het alleen. Waar moest ik heen? Hier blijven hangen, aan de bar met S. erachter? Naar huis, waar mijn moeder was, met haar stomme hoofd vol misselijkmakende gedachten aan dat 'vriendje' van haar? Naar Wieger, die alleen maar oog had voor de wriemelende wormen die hij dochters noemde? Naar Ron, met aanplak-Lies?

Ik keek op de klok. Er ging niet eens een bus meer.

Ron.

Ik verlangde ineens heel erg naar Ron. Hij was de enige die iets om me gaf, die iets voor me overhad. Alle anderen deden alleen maar wat henzelf goed uitkwam.

Lottie vertrok, Jurg vertrok, Sven vertrok, Rikzo vertrok, Diede vertrok, Ivo vertrok, Lutitia vertrok. Iedereen vertrok, behalve ik.

'Ga je niet met ze mee?' vroeg S. vanachter de bar.

Ik schudde mijn hoofd. Iets zeggen kon niet, want ik had al mijn energie nodig om mijn tranen binnen te houden.

S. zette zwijgend een nieuw glas water met prik voor me neer. Ik kon geen water meer zien, er klotste een zwembad in mijn maag als ik even bewoog.

'Moet je horen, Kiek...' begon hij.

Er kwamen drie mannen binnen, die bij de deur al luidkeels om bier vroegen.

Wat wilde S. zeggen? Dat het een grote vergissing was, hij en Yvonne? Ach nee, hou op met die belachelijke hoopgedachten. Dat hij ging emigreren? Een dodelijke ziekte had? Hou op, hou op, hou op.

De mannen hadden hun bier. S. kwam weer bij me staan. Ik zag dat zijn gezicht een beetje rood was. Ging hij zeggen dat het hem verschrikkelijk speet? Dat hij hoopte dat het goed zou komen tussen ons? Dat we gewoon konden besluiten dat dat ene nooit was gebeurd, op die bank?

'Je moeder...'

'Ja?'

'Ze komt hier straks.'

Alsof het allemaal nog niet erg genoeg was.

'We gaan naar wat vrienden van me, die spelen in De Balk.' Ik keek hem niet aan. 'Dus er is wat tussen jullie.'

'Eh... ja. Ik hoop tenminste heel erg van wel. Ze is niet zo gemakkelijk, ze is nogal... maar...'

'Vertel mij wat.'

'Ik hoop dat je het niet erg vindt.'

Ik haalde mijn schouders op. *Waarom zou ik* kreeg ik niet uit mijn keel omhooggetakeld.

Ik stond op en liep naar de wc. Op mijn telefoon zag ik een bericht. Mijn moeder. `Ik ga toch uit. Ben je nog bij lottie?`

Ik zat op de wc. Al het water van vanavond kwam er via mijn ogen weer uit. Met prik en al.

Er zat maar één ding op: Ron. Hij was de enige die me zou begrijpen.

Ik oefende even met praten: test hallo test hallo. Ja, ik was weer verstaanbaar.

Ik drukte op wat knopjes. De telefoon ging over.

'Hé, Kiek!'

'Hoi, ik...' Daar ging ik weer. Het prikwater was nog niet op.

'Wat is er aan de hand? Kiek! Wat is er, wat is er?'

Iemand was daadwerkelijk bezorgd om mij.

'Ik voel me zo kut.'

'Waar ben je? Ik kom naar je toe.'

'Nee, dat hoeft niet, ik –'

'Waar ben je?'

'In een café. 't Pietertje, dat is in de –'

'Ik weet waar dat is.' Het was even stil. 'Tot zo.'

'Maar... maar...'

Mijn protest klonk zwakjes. Het was ontzettend lief dat hij kwam. Al wilde ik natuurlijk niet lastig zijn. Ik wilde geen zielig klein meisje zijn. Ik wilde niet... Ach wat zeur ik nou, ik wilde wél lastig zijn en ook een zielig klein meisje en nog een hele hoop andere dingen. Ik had een eigenste papa van mezelf en die kwam me redden. Niet alles was klote in mijn leven.

Ik snoot mijn neus in een lading wc-papier en trok door. Toen ik in de spiegel keek, bleek ik veranderd in een wasbeer. Shit. Geen waterproof mascara. Ik veegde mijn wangen en ogen wat schoner maar niet helemaal, en ging toen terug het café in. Ik mocht er best een beetje slecht uitzien, op dit moment. Ron zou eens kunnen denken dat hij voor niks was gekomen dat hele eind, dat ik me maar een beetje had lopen aanstellen.

S. keek me bezorgd aan. Het was natuurlijk behoorlijk shit dat hij zag dat ik me rot voelde. Maar je kon niet alles hebben: S. die moest zien dat er niets aan de hand was, terwijl Ron moest zien dat er alles aan de hand was. Dat werd te ingewikkeld.

'Misschien moet je gewoon lekker naar huis gaan,' zei S.

'Wat is er in godsnaam lekker aan huis?' antwoordde ik.

'Vind je het niet erg dat Yvonne je hier ziet? Volgens mij houdt ze niet zo van dochters in kroegen.'

O ja. Yvonne.

En Ron.

Hier. Von en Ron.

Oeps.

Nou ja, ze zoeken het maar uit. Ik ga niet voor iedereen lopen zorgen.

Misschien was het wel goed dat mijn moeder Ron per ongeluk even zou zien. In haar hoofd had ze een soort Frankensteinmonster van hem gemaakt, terwijl hij in het echt heel gewoon, heel knap en heel leuk was.

Eigenlijk paste het best mooi in het plan, dat ze hem alvast even zou zien. Dan kon ik daarna vertellen hoe lief hij voor me was, dat hij speciaal voor mij in vliegende vaart uit Doodschaap hierheen was gereden.

Janine kwam binnen, die werkte achter de bar. Het was half-elf.

Ik werd een beetje zenuwachtig. Misschien moest ik toch maar ergens anders heen en dáár op Ron wachten.

S. was klaar met werken en kwam naast me zitten. We praatten wat, maar het ging stroef. Gek dat ik ooit zo'n klik in hem had gevoeld. Blijkbaar kon je je enorm vergissen in dit soort dingen. Ik denk dat ik de klik gewoon zelf had verzonnen.

Hij deed duidelijk heel erg zijn best om gewoon te doen. Ik niet. Het was niet gewoon en het werd ook nooit gewoon. Hij kon het shaken, met z'n gewoon. Jammer voor hem, maar het ging dus nooit wat worden tussen hem en Yvonne. Ik kon het niet laten gebeuren. Dan kende hij mij nog niet.

Zou hij iets verteld hebben aan mijn moeder, over de bank-
toestand?

Ik denk het niet. En dat ging hij ook vast niet doen.

Hij kon moeilijk zeggen: O ja, hé Yvonne, je dochter, je weet
wel, die was laatst dronken joh! En toen wierp ze zich boven
op mij en begon me te zoenen ennuh, nou ja, ik kon er niks
aan doen, maar een bepaald lichaamsdeel van mij verstijfde
een beetje eh... beetje veel, zeg maar.

Nee, hij vertelde het niet. Het is geen verhaal waar je punten mee scoort. Zeker niet bij mijn moeder. Een slap lachje
trok aan mijn lippen. Stel je voor, als ík haar dat verhaal zou
vertellen. Maar dan weer omgekeerd, zodat ik niet de op-
werper was, maar hij. Dan kon-ie het ook shaken. Maar
nee, dat zou gemeen zijn. Ik ging me aan het plan houden.
Het plan was goed en niet gemeen. Niet echt, tenminste. Er
kwam meer goeds dan slechts uit voort. En dan mocht het.
Toch?

'Wat doe jij hier?' riep mijn moeder terwijl ze haar
tweede voet nog nauwelijks binnen had.

'Gewoon, zitten,' zei ik.

'Jullie geven haar toch geen drank, hè?' zei ze tegen Stoffel
en Janine.

'Eh... nee hoor, water.' S. wees naar mijn glas.

We hadden het maar niet over sommige andere keren. Dat
was in het belang van ons allebei.

'Waarom hang jij in je eentje in een café aan de bar?' vroeg
ze aan mij.

In mijn eentje. S. telde blijkbaar niet mee, als iemand die er
ook was. 'Iedereen ging ergens anders heen, ik had geen zin.'
Ze keek me aan. 'Wat is er? Heb je gehuild?'

'Nee, uien gesnoven.'

Ze reageerde niet en ging naast me zitten. Naast mij, niet naast S.

Wat nu? Elk moment kon Ron binnenkomen. Het was te gróót, ik kon het niet zomaar laten gebeuren, zonder waarschuwing. Misschien kreeg ze wel een hartaanval. Ze was natuurlijk niet meer de jongste.

'Zullen we gaan?' vroeg S. aan mijn moeder.

'Nee. Ga jij maar vast, ik breng Kiek eerst naar huis.'

'Dat hoeft niet,' zei ik, 'ik heb... een afspraak.'

'Nu nog? Met wie dan?'

De deur ging open. Mijn moeder keek om en versteende. Het was duidelijk wie er binnenkwam.

Ron keek naar mijn moeder. En naar mij. En toen weer naar mijn moeder. Hij draaide zich om, trok de deur weer open en liep weg.

'Wacht!' Ik sprong van de kruk en rende achter hem aan. 'Ron!'

Hij bleef lopen, met zo'n grote pas dat ik half moest rennen om hem bij te houden.

Toen ik naast hem liep zei hij: 'Waarom doe je dat?' Hij bleef voor zich uit kijken, maar hield zijn pas wel wat in.

'Het was per ongeluk, echt. Wacht nou even.' Ik pakte zachtjes zijn arm, met beide handen.

Nu bleef hij staan, onrustig nog. Hij keek me niet aan, maar links en rechts naast me.

'Waarom loop je weg?' vroeg ik. 'Je bent toch niet boos op haar?'

'Zij wel op mij.'

'Maar boosheid kan overgaan. Ze moet je even leren kennen.'

'Dus je hebt dit zo geregeld: zij, ik, samen.'

'Nee, echt niet! Het was toevallig.' Ik trok mijn eerlijkste gezicht.

'Goed.' Nu keek hij me aan. Hij zag er meteen rustiger uit. 'Wat wil je doen? Ergens zitten en praten? Met mij mee naar huis?'

'Ergens zitten.'

We keken rond, op zoek naar een geschikte plek. O nee, daar kwamen mijn moeder en Stoffel aan. We stonden precies voor de straat waar muziekcafé De Balk was. Als we ons niet snel in beweging zouden zetten, moesten ze langs ons. Ron zag hen ook. We bleven allebei staan alsof we palen waren, diep in de grond geslagen. Gek is dat, dat je niet in beweging kunt komen juist op het moment dat het belangrijk is om in beweging te komen.

'Zo, daar staan jullie,' zei mijn moeder. 'Wat gaan jullie doen?' Het klonk opgezegd, als in een toneelstuk van groep acht.

'Ik ben Stoffel,' zei S. Hij deed een stap naar voren en gaf Ron een hand.

'Ron.'

'Ik heb je wel eens zien spelen, een paar jaar geleden.'

'We gaan wat drinken,' zei ik. 'En praten.'

'Wat gaan jullie drinken?' vroeg mijn moeder. 'En waarover gaan jullie praten?'

'Koffie en thee,' antwoordde Ron. 'En over... Kieks dingen.'

'Dingen? Wat voor dingen?'

'Ik weet niet. Dingen. Ze is vijftien. Als je vijftien bent, heb je dingen.'

Ron en Yvonne praatten. Ze hadden een gesprek. Er werden woorden uitgewisseld. Het was geen droom, het was echt.

'Ik weet niet van dingen. Wat voor dingen, Kiek?'

'O, gewoon. Van alles.'

'Belangrijk genoeg om midden in de nacht met... – ze knikte even met haar hoofd – hém af te spreken?'

'Het is niet midden in de nacht. En we hadden niet al afgesproken, ik heb hem net gebeld.'

'Waarom?'

'Ik was... Van alles. Gewoon. Dingen.'

'Nou, lekker duidelijk weer. Brengt hij je naar huis? Ik wil niet dat je alleen fietst.'

'Ja, of ik ga met hem mee naar Doodschaap.'

'Ik zorg dat ze veilig is,' zei Ron.

Ze is veiliger in een moeras vol alligators, zei mijn moeders blik. Maar ze besefte natuurlijk dat ze op dit moment niet veel aan de situatie kon doen. Ze kon moeilijk een scène maken, midden op straat, met Stoffel erbij.

Deed ze het maar. Dan zag hij hoe ze écht was. Dan zou hij er snel vandoor gaan, en gingen wij met z'n drieën naar het optreden in café De Balk. De bassist kreeg last van zijn vingers en Ron moest invallen. Hij zag er geweldig uit met de basgitaar op het podium, zelfs mijn moeder moest dat toegeven. En toen speelde hij het liedje dat hij voor mij had gemaakt. De hele zaal was muisstil. En toen –

'Laat wel even weten waar je bent.'

'Eh... o ja.'

Yvonne keek Ron aan. Geen spiertje in haar gezicht verraadde een emotie. 'Geen alcohol. Of wát dan ook.' Er lag een zware klemtoon op 'wat'.

'Natuurlijk niet. Waar zie je me...' De rest slikte hij in. Dat was verstandig, denk ik. Het was beter dat mijn moeder geen antwoord begon te geven op die vraag.

Eigenlijk ging het wel érg gemakkelijk, allemaal. Een half-jaar geleden sleurde ze me nog bijna aan mijn haren de Walhalla-hallen uit, die gekraakte oude verffabriek waar vaak concerten zijn, alleen maar omdat ik een béétje te laat was. En nu liet ze me 's nachts over straat zwalken met een ex-junk die ze haatte.

We zaten in café De Joker, bij het raam. Het meisje achter de bar had zwaar gezucht toen we thee en koffie bestelden. Ze had net alle koffie- en theespullen schoon en nu werd de boel weer vies.

Ik doopte mijn zakje earl grey in het glas en keek hoe de bruine flarden zich traag door het water bewogen.

'Vertel maar eens waarom je je zo rot voelt,' zei Ron. 'Ik denk niet dat ik echt kan helpen, ik heb niet veel verstand van die dingen, maar ik kan wel luisteren.'

Ik haalde mijn schouders op. Het leek allemaal veel minder belangrijk dan een halfuur geleden. 'Ik weet niet. Het overviel me. Dat alles kut was. Iedereen ging nog ergens heen. Lottie ook. En Jurg. En Lutitia, die was hem aan het versieren.'

'Jurg, is dat je vriend?'

'Ik had iets met hem. Maar nu niet meer.'

'Aha, vandaar.'

'Vandaar wat?'

'Je was al een tijdje verdrietig om een jongen. Wat had hij gedaan, die rotzak?'

'Niks, nee, dat was niet om hem. Het was...' Jemig. Ik kon toch niet zeggen dat het om Stoffel was? Hij had hem net met mijn moeder gezien. 'Ik voelde me een beetje... alleen, of zo.'

'Dat ken ik.'

'O ja?'

Hij knikte. 'Dat het lijkt alsof de hele wereld snapt hoe het allemaal moet. Leven en zo, en het leuk hebben en alles. Iedereen snapt het, behalve jij. Dat ken ik.'

'Maar nu snap je het wel. Hoe het moet.'

'Niet echt.'

'Maar je bent volwassen. En je hebt God.'

'Oud is iets héél anders dan volwassen.' Hij lachte breeduit. 'En God...' Zijn lach versmalde langzaam, tot-ie bijna verdwenen was. 'Ik weet het niet.'

'Wat weet je niet?'

'Of ik God heb. Het lukt me niet altijd om me dicht bij Hem te voelen.'

'Dan moet je bidden. Bidden helpt voor en tegen alles.'

'Ik bid me een breuk.' Hij glimlachte, een beetje verlegen leek het. 'Maar als je kijkt naar de hele klotewereld en alles, dan is het toch wel een beetje raar dat iemand dat allemaal verzonnen zou hebben. Waarom zóú iemand?'

Ron was aan het twijfelen. Aan het geloof. Hoe was het mogelijk? Het Plan voerde zichzelf uit, bijna zonder dat ik iets deed. Misschien was dat een eigenschap van een echt goed plan, dat je er geen moeite voor hoefde te doen.

'Ik vroeg me af,' zei ik. 'Als je jezelf aan Jezus hebt gegeven, kun je jezelf dan ook weer terugkrijgen?'

'Hoe bedoel je?'

'Nou, eens gegeven blijft gegeven, zeggen ze altijd.'

Hij lachte even. 'Ik wil Jezus niet kwijt, hoor.'

'Maar net zei je dat je niet meer zo geloofde.'

'Nee, dat zei ik niet. Ik twijfel wel eens aan van alles en nog wat. Altijd al. Maar ik wil het niet kwijt.'

'Waarom niet?'

Ron was stil. 'Daarom niet,' zei hij.

'Omdat je Lies niet kwijt wilt?'

Ron gooide vijf scheppen suiker in zijn koffie en roerde. 'Ik heb een goed idee.'

'Wat dan?'

'Wij gaan morgen iets leuks doen. Dat is wat jij nodig hebt. Iets waar je vrolijk van wordt.'

'Wat dan?'

'Wat vind je leuk? Een pretpark? Of de bioscoop, een heleboel films achter elkaar?'

'Optredens vind ik leuk. Popconcerten.'

'O.' Hij keek nogal twijfelend. Wat was er mis met popconcerten?

'Iets anders mag ook, hoor.'

'Nee, concerten, dat is goed. Niks aan de hand. En het is augustus, overal zijn festivals.'

Ik ging met Ron mee naar huis. Dat was handiger, als we morgen iets gingen doen.

Thuis kroop Ron meteen achter de computer. Ik ging naast hem zitten. Al snel hadden we twee festivals gevonden: Pleinpop, in de stad, en het Gebroken Snaren Festival, zo'n vijftig kilometer rijden, vlak bij een of ander dorpje dat ik niet kende.

'Welke is leuker, denk je?' vroeg ik.

'Ik weet niet, maar ik ga liever wat verder weg,' antwoordde Ron.

'Waarom?'

'In de stad ken ik iedereen. Iedereen is daar. Iedereen die ik niet wil zien.'

'Maar je hoeft toch niks met ze te doen?'

'Nee.' Hij zei het zuchtend, op een toon die 'jawel' uit-drukte.

'Nou ja, dan gaan we naar de Gebroken Snaren. Klinkt ook leuk.'

'Ja,' zei Ron. 'Het begint om... twee uur.' Hij klikte de site weg. 'We gaan er blanco heen.'

'Blanco?'

'Zonder iets te weten. We laten ons verrassen.'

We gingen buiten zitten, op het terras. Het was donker. Af en toe zoemde er een mug om mijn hoofd, maar verder was het stil. En donker. Het donker was veel donker-der op het platteland. Wat zou Jurg aan het doen zijn? En mijn moeder? De stad leek ver weg. Al het gedoe leek ver weg. Opeens snapte ik dat je beter hier kon zijn dan daar als je veel problemen had. Hier leken ze minder groot.

'Lies zal wel niet meegaan,' zei Ron.

Hè? Het was helemaal niet in me opgekomen dat ze mee zou gaan. Ik wilde niet dat ze meeging. Ze mocht niet mee.

'O. Eh... hoezo niet?'

'Dat festival. Het is iets van het donker, vindt ze.'

'Hè?'

'Niet van het licht. Het licht is goed. Dat is God. Dat is Jezus.'

'Waarom is dat festival van het donker?'

'De meeste popmuziek is van het donker, vinden zij.'

Vinden zíj. Hij niet.

'Waarom vinden ze dat?' Ik sprak 'ze' met nadruk uit.

'Nou ja, er zit wel wat in, hoor. Er is veel negatief gedoe. In de teksten, in de muziek, in de hele wereld eromheen. Ik weet er alles van.'

'Hoe kan er negatief gedoe in muziek zitten?' Van teksten snapte ik dat, je kunt bah-bah-bah, ik ben boos-boos-boos zingen, dat is negatief. Maar muziek?

Ron trok zijn schouders op en liet ze weer zakken. 'Ik kan niet altijd alles van ze volgen.'

Ze. Alweer.

'Maar mag je er dan wel heen van Lies?'

'Nee.' Het was stil. 'Nou ja, mógen, ze is mijn moeder niet, of zo. Maar ik wéét dat ze niet wil dat ik ga. Ze wordt boos.'

'Dan zeg je gewoon: Lies, boos zijn is negatief. En van het donker.'

Hij grinnikte.

'Maar we gaan dus wel?'

'Ja. We gaan.'

'Soms moet je tegen je moeder in opstand komen.'

Hij bewoog zijn hoofd een beetje. Het was niet duidelijk of hij knikte of schudde. Misschien allebei. We luisterden samen naar de stilte en keken het donker in.

'Ik vind het... nou ja, niet écht erg hoor, dat ze niet meegaat,' zei ik.

'O nee?'

'Ik vind het leuk om iets met jou alleen te doen.'

Hij knikte. Ik kon niet zien hoe hij daarbij keek, daarvoor was het te donker.

Ik pakte mijn telefoon. Ik had absoluut geen zin, maar moest mijn moeder toch even laten weten waar ik was. Ik blijf bij ron, typte ik. Ik bekeek de zin. Hm. en lies, schreef ik erachteraan. Dat zag er veiliger uit. Had Lies toch nog nut.

Ineens gleed er een ijskoude aal door mijn lichaam. Mijn

moeder. Ze zou toch niet... Nu ik er niet was. Dat ze hem meenam. Naar huis.

'Wat is er?' vroeg Ron. 'Je kijkt alsof het huis in brand staat.'

Was het maar zo, dat alleen maar het huis in brand stond. Vuur kon je doven. Spullen kon je vervangen. Maar wat moest je met een hart waarop zo wild was gesprongen dat het compleet tot smurrie was gestampt? Hoe kreeg je de boel weer in een vaste vorm?

`Maar misschien kan ik niet slapen. Grote kans. Dan brengt ron me naar huis,` schreef ik, en drukte op 'verzenden'. Zo. Ze moest niet denken dat ze zomaar rare dingen kon gaan uitvreten.

'Ik ga nog even aan het werk,' zei Ron, en hij stond op. 'O,' zei ik. 'Nu nog?' Ik had gehoopt dat we nog wat zouden praten. Maar we hadden natuurlijk morgen de hele dag. ''s Nachts is de beste tijd,' antwoordde hij. 'Voor mij tenminste. Ik ben een nachtdier.'

Ik bleef zitten. Gek was dat. Je kon je met honderd mensen om je heen ellendig en alleen voelen. En nu zat ik hier in mijn eentje, in het donker, in het niets, en voelde me behalve ellendig ook best een beetje rustig en goed.

Ik schrok wakker van Lies die de deur opengooide. 'O, ben jij hier?' vroeg ze.

Ik gaf geen antwoord, dat leek me nogal overbodig. Het was 11.23 uur, zag ik op de radiowekker.

'Is Ron al op?' vroeg ik.

'Nee. Maar hoezo ben jij hier ineens? Ik weet van niks.'

'O, dat kwam toevallig zo uit.' Moest ik nu vertellen van het Gebroken Snaren Festival of kon ik dat beter aan Ron overlaten? Dat laatste.

'Jij hebt wel een aardje naar je vaartje, hè?' zei Lies.

'Wat is dat?'

'Dat je op je vader lijkt. Jullie liggen allebei het daglicht weg te snurken.'

Ze bedoelde het niet aardig, aan haar toon te horen, maar toch werd ik warm vanbinnen. Ik leek op hem.

'Kom je er zo uit?'

Ik knikte.

Lies sloot de deur.

De deur ging open. 'Waar blijf je nou?'

Ik keek op de wekker: 12.14 uur. 'O, ik lig nog wat na te liggen. En te denken.' Ik had niet zo'n zin om op te staan als Lies er was terwijl Ron nog in bed lag.

'Ik had thee voor je gezet, maar die is ondertussen koud geworden.'

'O.'

'Kom je zo?'

'Ja.'

Pff, wat kon haar het schelen of ik in bed lag of opstond? Typisch Lies. Ze maakte zich altijd druk om dingen die helemaal niet belangrijk waren. Ik zou moe worden van mezelf, als ik haar was. Ik ging rechtop zitten, schoof het laken van me af en slingerde mijn benen naar de grond. Ik kon haar nu beter niet boos maken, ze zou al boos genoeg zijn straks. *Van het donker.* Eerlijk gezegd vond ik Lies zélf nogal donker. Ook al was ze blond. Ze zat altijd op negatieve dingen te letten. Nu ook. Waarom zei ze niet: Slaap lekker uit Kiek, geniet ervan, je hebt vakantie? Waarom zei ze niet: Kan mij dat theezakje verrekken, ik zet wel even een nieuwe pot?

Het was goed dat ik al deze dingen zo scherp zag, dan hoefde ik me ook niet schuldig te voelen als Ron bij Yvonne zou zijn en Lies een nieuwe man moest zoeken. Het was voor iedereen beter, ook voor haar. Zo'n wachter uit de tent, die paste veel beter bij haar. Het maakte niet uit welke, ze pasten allemaal beter bij haar dan Ron. Kansen genoeg, ze hoefde heus niet alleen te blijven.

Ik hoorde gestommel uit Rons kamer. Mooi, hij stond op. Ik kleedde me zo langzaam als ik kon aan. Daar ging hij, naar beneden. Nog even wachten, anders leek het alsof ik expres had gewacht tot hij op was. Dat was ook zo, maar dat hoefde Lies niet te weten.

Ik liep de trap af, heel zachtjes, geen idee waarom. Als Lies er was had ik de neiging om stil te doen. Midden in een stap bleef ik staan. De deur naar de woonkamer was dicht, maar ik hoorde mijn naam. Lies' stem klonk opgewonden. Ik sloop verder naar beneden en bleef op de tweede en derde tree staan. Het was nu wel goed te horen.

- Wat wil je dan? Dat ze alleen gaat?

- Ze hoeft niet te gaan! Het is nergens voor nodig dat ze gaat. En jij al helemáál niet.

- Ze voelt zich rot, ze moet leuke dingen doen.

- Leuk? Als je dát leuk noemt... Ze kan mee naar de kerk, maar dat wil ze blijkbaar niet.

- Ik probeer een beetje een soort vader voor haar te zijn.

- Je kunt ook een vader zijn zonder haar mee te slepen naar dat soort toestanden. Een vader neemt haar mee naar de kerk.

- Het is gewoon een muziekfestival.

- Gewoon? Gewóón? Jij kwam anders van heel diep uit het

duister, met je 'muziekfestival'. Jij weet toch waar die dingen toe leiden?

- Dat ik... Het wil nog niet zeggen dat alles en iedereen –
- Stop, hou op!

Het was stil.

- Het gaat niet goed, Ron.
- Hoe bedoel je?
- Sinds Kiek er is. We hadden nooit ruzie en kijk nu.
- Wat is er dan anders?
- Jij. Jíj bent anders.
- Ik probeer gewoon een vader voor haar te zijn.
- Je probeert een vriend te zijn, niet een vader. Een slechte vriend. Een vader neemt haar mee naar de kerk. Een vader gaat niet 's nachts met haar in een café zitten.

Dat had hij blijkbaar al verteld.

- O. Nou ja. Alsof jij verstand hebt van vaders en wat die allemaal doen.

Het was een paar tellen stil.

- Wat gemeen. Ik weet misschien niet veel van vaders, maar ik weet wel dat er iets niet goed gaat. Sluit jij je ogen maar, prima, maar ik ga niet toekijken.

De deur ging open. Mijn benen zetten zich onmiddellijk in beweging, alsof ik net aan kwam lopen.

Ze keek me aan. Haar gezicht was rood. 'Ik heb nieuwe thee gezet,' zei ze. Toen liep ze de voordeur uit.

'Ze vond het inderdaad niet zo'n goed idee,' zei Ron.

We zaten aan tafel. Ik at een boterham met appelstroop. Een kop thee stond dampend naast mijn bord. 'Is ze boos?'

Hij haalde zijn schouders op. 'Een beetje overstuur.'

'Vind je het erg?'

'Het gaat wel weer over.'

'We doen toch niks ergs?'

'Nee.' Hij keek wel een beetje ongerust. Zijn wenkbrauwen waren naar elkaar toe getrokken, misschien betekende dat ook iets anders. Ik weet niet wat.

Terwijl ik de laatste hap wegkauwde, smeerde ik een nieuwe boterham, met abrikozenjam.

'Shit,' zei Ron, terwijl hij opsprong. Hij liep naar het raam. 'Ja hoor. De auto is weg. Shit, shit.'

'Wat nu?' vroeg ik.

'Ze had ook op de fiets kunnen gaan, maar nee.'

'Wat nu?' vroeg ik weer.

'Ik weet het niet. Shit, dat doet ze expres.'

'We kunnen met de bus.'

'Dat lukt nooit, met overstappen en alles, en 's avonds weer terug.'

'Misschien kunnen we een auto van iemand lenen.'

'Van wie?'

Ik dacht na. De enige die ik kon bedenken was Wieger. Ik kauwde mijn mond snel leeg en pakte mijn telefoon.

Natuurlijk mocht het. We moesten maar komen. Was leuk, kon hij Ron ook eens ontmoeten. Dus zaten Ron en ik samen in de bus naar de stad.

'We komen veel te laat op het festival,' zei ik. 'Het begint om twee uur.'

'O dat maakt niet uit, er zijn bands genoeg, als het al om twee uur begint.'

Hoe zou het met Jurg zijn? Met Lottie? Met mijn moeder en

dinges? Ze leken allemaal zo ver weg. Heel fijn eigenlijk, dat verwegge gevoel. Het was een beetje alsof ze me niet konden raken, van die afstand. Ik keek opzij, naar Ron. Ik had zin om mijn hoofd tegen zijn arm te leggen, maar ik deed het niet. Ik durfde niet. Gek, mijn moeder haatte hem, hij was voor haar de grootste verrader, maar voor mij voelde hij juist als de enige persoon die me niet verraadde. Hoe kon één iemand twee zulke verschillende personen zijn?

'Hé, ik ben Ron.'
'Jij bent dus Ron. Hoi, ik ben Wieger.'
'Ah. Jij bent dus Wieger.'
Ze keken elkaar onderzoekend aan.
'Koffie?'
'Nee, we moeten weg,' zei ik. 'Het is al begonnen, we zijn nu al te laat.' Ik had helemaal geen zin om te blijven. Het voelde wat ongemakkelijk, ik weet niet waarom. Misschien was het gewoon te veel, twee vaders van één dochter, in één huis. Wieger gaf Ron de autosleutel. Hij wees: 'Die blauwe daar, Kiek weet het wel.'
Susan kwam eraan, met Sijsje op de arm. Nee hè, nu ging het vast langer duren. 'Kom nog even binnen,' zei Susan. 'Jullie gaan toch niet meteen weg? Ik heb koffie.'

Daar zaten we dan. Het voelde als visite. Visite bij vage bekenden, bedoel ik. Ron deed stijfjes en ik van de weeromstuit ook. Wieger probeerde lollige opmerkingen te maken, Susan stelde vragen over wat we gingen doen en wat daar allemaal te zien was en Zwaan hobbelde kirrend om me heen, want ik moest kiekeboetje doen, telkens weer. Alleen Sijsje deed relaxt.

Eindelijk was iedereens koffie op. 'Kom, we gaan.' Ik ging alvast staan.

'Waarom heb je zo'n haast?' vroeg Susan.

'We willen niet te veel missen,' zei Ron. Hij stond ook op. 'Bedankt voor de koffie.'

'Maar jullie weten niet eens wie er spelen,' zei Wieger. 'Wel mooi trouwens, om niks te weten. Geen verwachtingen, dus alles is goed.'

Ik wist zeker dat Wieger wel mee wilde. Dat was echt iets voor hem. Maar ik wilde hem niet mee. Ik wilde met Ron. Met Ron alleen.

'Tof dat we jullie auto mogen lenen,' zei Ron. 'Ik zal voorzichtig zijn.'

'O, het is maar blik,' zei Wieger. 'Als je met het Kiekeltje maar voorzichtig bent.' Hij keek er grappig streng bij, want serieus streng, dat kon hij niet.

Hèhè, eindelijk zaten we in de auto. We ademden tegelijkertijd hard en diep uit. Daarna keken we elkaar aan en lachten. Ron startte de auto en we reden weg, heel even schokkerig, maar daarna best wel soepel.

Het barstte van de motoren op het parkeerterrein. 'Grappig, je kunt hier al zien wat voor muziek er is,' zei Ron, terwijl hij de auto het grasveld op draaide.

'Wat dan?'

'Heavy metal. Misschien wel death metal.'

'Hou je daarvan?'

'Ja hoor, best leuk, 'ns een keer. En jij?'

'Ik vind alle muziek wel leuk.'

We stapten uit, kochten kaartjes bij de ingang en liepen het festivalterrein op. Er was geen band aan het spelen, het was blijkbaar even pauze.

Overal liepen jongens en mannen in zwarte T-shirts met kleurige opdrukken, vooral plaatjes van doodshoofden, vlammen, bliksemschichten, gedrochten en andere grappige dingen.

'Ze zien er allemaal hetzelfde uit,' zei ik.

Ron grinnikte. 'Ja, iedere muzieksoort heeft zijn eigen uniform.'

'Wat is jouw uniform?'

'Dit.' Hij wees naar zijn kleren. Hij zag er best gewoon uit: lichte spijkerbroek, oranje overhemd. Niet heel anders dan andere mannen van zijn leeftijd. Hij had alleen langer en slordiger haar.

'Dus zo zie je eruit als je God-muziek maakt?'

'Nee.' Hij lachte. 'Dit is het uniform van vroeger. Ik ben eraan gehecht. Ik heb ook niks anders, trouwens.'

'Dus zo trad je altijd op?'

'Ongeveer.'

'Heb je wel eens overgegeven op deze blouse?'

'Hè? Hoezo? Eh... nee, ik heb hem nog maar twee jaar of zo.'

'En je geeft al twee jaar niet meer over?'

Ron gaf geen antwoord. Jammer, dat soort dingen zijn interessant om te weten. Ik keek om me heen. Opeens zag ik dat veel zwarte T-shirtmannen bier in hun hand hadden. Nu al. Het was nog maar middag. Het gras lag vol plastic bekers.

'Het is maar goed dat Lies er niet is,' zei Ron. 'Ze zou hier spontaan folders gaan uitdelen, over Jezus en het licht. Ze vindt elk popfestival erg, maar déze muziek is het allerergst. Rechtstreeks afkomstig van de duivel.'

'O ja? En jij vindt van niet?'

Hij haalde zijn schouders op. 'Het is soms wat zwartgallig, maar zo voelen ze zich nu eenmaal. Dan kun je het er maar beter uitgooien. Dat is beter dan opkroppen. Vind ik.'

'Dus we gaan geen foldertjes uitdelen?'

'Vandaag maar even niet.' Hij lachte en legde zijn hand op mijn rug. 'Kom.'

We liepen richting het grote podium. Hoe dichterbij we kwamen, hoe voller het werd. We stopten. 'Gaan we niet verder?'

'Nee, dat vind ik niet veilig.'

'Waarom niet?'

'Als de muziek begint, gaan ze headbangen en *moshen*.'

Ik wist niet precies wat dat was. 'Is dat gevaarlijk?'

'Als je genoeg afstand houdt niet.'

'Hé Bleek!'

Ron keek om. Er kwam een man met lang sliertig haar naar ons toe. Hij had een leren jas aan en bier in zijn hand. De helft van zijn haar was grijs, de andere helft was peper-en-zout-blond.

'Lang niet gezien, man. Hoe hangt-ie? Is dat eh...' Hij keek naar mij. 'Je eh...'

'Mijn dochter. Kiek.'

'Dochter?! Man, ik wist niet eens dat je een dochter had. Zo hé!' Hij keek me goedkeurend aan, knikkend met zijn hoofd.

Ron zei gelukkig niet dat hij het eerder ook niet wist.

'Wat doe je tegenwoordig?' vroeg de peper-en-zoutman.

'O, een beetje muziek maken, en zo. Rustig aan.'

'Bier?' De man goot de laatste slok uit zijn plastic beker zijn keelgat in en maakte aanstalten om zich om te draaien.

'Nee.'

'O nee, natuurlijk niet, het slechte voorbeeld en shit, ik snap het.'

'Speel je nog met Alderik en Leo, en zo?'

'Nee joh, allang niet meer. Veulsteveul trammelant. Gezeik.'

Ik schrok op van een gewelddadige drums-slachting. Het optreden begon.

Ik kreeg al pijn in mijn hoofd als ik naar die ronddraaiende, op-en-neer-en-heen-en-weer-zwiepende koppen keek. Sommigen hielden er ook een denkbeeldige gitaar bij vast, waar ze woest op los ramden. Of ze sloegen wild met hun armen voor zich uit. Bijna niemand keek naar het podium, terwijl het daar toch heel leuk was. De zanger en de muzikanten sloofden zich enorm uit. Ze stonden met hun benen wijd en ramden hun instrumenten zo'n beetje in elkaar. Het verbaasde me dat er nog muziek uit kwam. Ik snapte ook ineens de naam van het festival.

Na een tijdje kon ik mijn hoofd niet meer stilhouden. Ik headbangde mee, al hield ik het in het tempo van de anderen niet lang vol. Pff, je moest wel een ijzeren kop hebben om dit te kunnen. Of heel boos zijn.

Ik had het goed, met die ijzeren kop! De band heette Iron Skull. *Skull*, dat betekent schedel. Echt waar, Iron Skull, ze zeiden het en het stond ook op mijn entreekaartje. Toen het optreden afgelopen was gingen we naar een ander podium, dat wat kleiner was. Daar begon al snel een band met iets minder herrie, maar er stond wel net zo'n met-het-bovenlijf-bewegend publiek voor. Niemand danste, niet met zijn benen tenminste.

Er waren op het festival veel meer mannen dan vrouwen,

viel me op. De vrouwen waren hetzelfde gekleed als de mannen. Ik zag bijna geen jurkjes, terwijl het best warm was. Misschien mochten vrouwen niet te vrouwelijk zijn bij deze muzieksoort. Misschien hield de muzieksoort gewoon niet zo van vrouwen, dat kon ook. Hoe dichter je bij het podium kwam, hoe minder meisjes en vrouwen er waren. Ik was blij dat ik een broek aanhad, anders was ik enorm opgevallen. Dat deed ik nu al, want ik had geen tatoeages of zwart T-shirt en zo'n beetje iedereen was ouder dan ik.

'Hoeveel snaren zouden er al gebroken zijn?' vroeg ik aan Ron toen het optreden afgelopen was.
'Geen idee. Een hele hoop. Ze spelen gewoon door als er een breekt, je hoort het verschil toch niet zo.'
'Hé Bleker, wat doe jij nou hier, man?' Een man met halflang donker haar, een spijkerbroek en een zwart T-shirt zonder tekening of tekst drukte Ron een biertje in zijn hand. 'Zo, die was voor Joost, heeft Joost pech. Hoe is het?'
'Ik ben hier met mijn dochter.' Ron strekte zijn hand met het bier erin een eindje in de richting van de man. 'Geef maar wél aan Joost.'
'Je dochter? Sinds wanneer heb jij een dochter?'
'Sinds ik geboren ben,' antwoordde ik voor Ron.
'Dat is dan het best bewaarde geheim van de stad.'
'Dat is waar,' zei ik. 'Het geheim werd heel goed bewaard.'
'Geef aan Joost, anders pleur ik het weg.' Ron hield nog steeds de plastic beker bier in de richting van de man.
'O sorry, ik wist niet dat je kwaad werd.'
'Ik ben niet kwaad, ik wil geen bier.'
'O, nou ja, weet ik veel. Vroeger kon er niet genoeg aangesleept worden.'

'Wat doe jij hier?' vroeg Ron.

'Ik heb gespeeld. Hier.' Hij wees naar het podium waar we voor stonden. 'Met Two Legged Death.'

Ik bestudeerde mijn entreekaartje. Ja, het stond erop.

'Jij? Hier?'

'Spelen is spelen. Ze hadden een drummer nodig. Best gaaf, hoor. 't Is weer eens wat anders, zullen we maar zeggen.'

'Ik vind het wel wat voor jou. Veel *energy*.' Ron stond nog steeds met het bier in zijn hand. Het zag er heel gewoon uit, alsof hij elke dag wel twintig van die dingen vast had.

'Ik ga weer naar Joost,' zei de man. 'Sie-joe.'

'Hier, zijn bier.'

De man verdween, met Joost z'n bier.

'Dit is dus waarom ik liever hierheen wilde dan naar dat festival in de stad,' zei Ron. 'Ik dacht dat ik hier niemand zou tegenkomen. Maar dat valt weer tegen.'

'Je bent gewoon té beroemd.'

Hij reageerde niet op mijn grapje. 'Klein wereldje, de muziek. Zit je 'ns een keer in een heel andere scene, zoals hier, zie je nóg bekenden.'

'Kende je Stoffel dan niet?'

'Wie?'

'Die jongen waar mijn moeder mee was, gisteravond.'

'O, die. Is dat haar vriend?'

'Eh... neuh, hij is....' Mijn hersens werkten harder dan een Iron Skull-drummer. Wat was het slimste antwoord? 'Hij wil wel, maar zij niet. Ze passen niet bij elkaar. En ze is gewoon niet echt verliefd, denk ik. Verliefd zijn, dat is belangrijk, in een relatie.'

Ron zei niks.

'Vind je niet?'

''t Zal wel, niet zoveel ervaring mee.'

'Met verliefd zijn niet of met relaties niet?'

'Met de combinatie niet.'

De bal lag voor open doel. Ik moest hem erin trappen. 'Dus eh... je bent niet verliefd op Lies?' Ik had laatst ook al zoiets gevraagd, maar toen had ik niet echt een duidelijk antwoord uit hem gekregen. Misschien lukte het nu.

'Verliefd? Nuh.'

'Nee?'

'Niet als je met "verliefd" gierende hormonen bedoelt. Nergens anders meer aan kunnen denken. Lies en ik hebben iets anders.'

'Wat dan?'

'Liefde.'

'Hoe wéét je dat je liefde voelt? Hoe weet je wat dat is, liefde?'

Hij dacht na. Een hele tijd. Hij leunde op zijn ene been. En op zijn andere. Toen weer op zijn ene. Er waren natuurlijk honderd antwoorden. Misschien wel duizend. Hij wist vast niet welk hij moest kiezen. Misschien zou hij de vraag omzeilen door te beginnen over de liefde voor God.

Maar hij koos het enige antwoord dat ik totaal niet had verwacht. 'Dat weet ik niet,' zei hij. 'Nooit zo over nagedacht.'

Toen begon de band aan de andere kant van het terrein te spelen.

Ron kende de technicus die op het kleine podium bezig was. Dat was leuk, want we mochten op het podium komen. Hij en Ron praatten, terwijl Harm, zo heette hij, met snoeren bezig was. Ik bleef heel dicht bij ze, want als ik verder weg was kon ik ze niet verstaan door het geluid vanaf het andere podium. Dark Moon speelde daar. Het klonk alsof er aardvarkens werden geslacht.

'Ik dacht eigenlijk dat je behoorlijk naar de klote was,' zei Harm tegen Ron.

'Nou ja, dat klopt ook wel.'

'Maar je ziet er goed uit. Hoe dat zo?'

Nu had Ron eigenlijk dus moeten zeggen: Omdat ik God heb. Hij had ook 'Jezus in zijn hart' kunnen noemen. Of Lies. Of de kerkmensen in het algemeen.

Maar dat deed hij niet.

Hij antwoordde niet met God, niet met Jezus, niet met Lies, niet met de kerkmensen in het algemeen.

Hij antwoordde: 'Ik heb een dochter. Kiek. Daar staat ze.'

Hij keek naar mij.

'O ja? Dat wist ik niet,' zei Harm. Hij keek ook naar mij.

'Ik ook niet,' zei Ron. 'Maar nu weet ik het.'

'Woow. Een dochter. Dus nu hou je je koest?'

'Tuurlijk. Dat moet, als je een dochter hebt.'

Die dochter, dat was ik. Ik was belangrijker dan God, dan Jezus, dan Lies en alle kerkmensen bij elkaar. Ik was de reden dat het goed met hem ging.

.

THE END

Oké, het verhaal is nog niet helemaal afgelopen, maar ik had even zin in een *happy end* tussendoor. Wat kon mij het nog schelen dat mijn moeder iets met Stoffel had? Ik ging gewoon bij Ron wonen. Hij had nu een dochter, ik, en dus was alles goed. Wat kon mij Jurg schelen, of de stomme mislukte seks? Wie geeft er een bal om seks? Alles was goed want Ron had een dochter, en die dochter was ik. Wat kon mij Lottie schelen, met haar doorklepneigingen en haar jongensverdomming? Ron had een dochter, ik, en alles was dus goed.

Drank, drugs, God, niets was nog belangrijk als je een dochter had.

Die dochter was ik.

Ik.

We zaten op de rand van het podium. Dat mocht

van Harm. De zanger van Dark Moon braakte in de verte een hele hoop geluiden uit. Maar interessanter was het publiek, vanaf hier gezien. Ze sloegen met hun armen woest voor zich uit, alsof ze puree probeerden te maken van een denkbeeldige zak aardappels. Vlak bij het podium gingen ze opeens met z'n allen rondjes rennen, terwijl ze bleven meppen en ook nog tegen elkaar op botsten.

'Die mensen hebben veel energie, zeg,' zei ik tegen Ron.

'Ja, als je de metalheads kon aftappen, had de wereld geen kerncentrales nodig.'

'Ze zijn goed voor het milieu.' Ik slingerde mijn onderbenen naar voren en naar achteren, liet ze tegen de metalen buizen bonken waaruit het podium was opgebouwd. 'Het is anders wel gek. Ze hebben overal dooddingen om zich heen. Alles gaat over donker, zwart, doodshoofden, bloed, terwijl ze juist superlevend zijn.'

'Hm, ja.'

'Hoe kan dat? Waarom zijn ze zo met "dood" bezig?'

'Weet ik niet. Nooit zo over nagedacht.'

Hij dacht niet over veel na, Ron. Misschien kwam dat door God. Misschien hoefde je niet zelf na te denken, als je God had. Dat was dan nog een goede reden om hem van het geloof af te helpen. Het was beter dat hij wél nadacht over dingen als liefde, leven, dood. Zodat hij mij antwoorden kon geven. Dat moet, als je vader bent. Hij al helemaal, want er moest veel worden ingehaald.

De band ging zich klaarmaken op ons podium. 'Kom, we gaan ze niet in de weg zitten,' zei Ron.

Verder gebeurde er niet veel belangrijks. Er speelden nog een stuk of wat bands. Ik vond hun muziek nogal hetzelfde, maar dat heb je bij alle muzieksoorten wel, dat dat zo lijkt als je er niet echt 'in' zit.

Nog twee keer kreeg Ron bier in zijn handen gedrukt. De eerste man klopte hem daarbij enthousiast op zijn schouder en liep daarna door.

'Waarom krijg je zomaar bier van mensen?' vroeg ik.

'Goeie vraag,' antwoordde Ron, terwijl hij het bekertje omdraaide. Het bier plenste op het gras.

De tweede drukte hem de plastic beker in zijn hand en zei: 'Ron Bleker. Goed je te zien. Ron Bleker. Goede bassist. Ron Bleker. Goed.' Hij stak zijn duim op. Toen liep hij door.

'Waarom noemt hij je steeds Ron Bleker?'

'Ik denk omdat ik zo heet.'

'Raar figuur.'

'Wie, hij of ik?'

'Allebei.'

Ron keek naar de beker en toen naar mij. 'Drink jij wel eens? Eerlijk zeggen.'

Ik haalde mijn schouders op. 'Wel eens. Een beetje. Maar ik vind bier niet echt lekker. Hoezo, mag ik het hebben?'

'Ben je gek? Je bent nog maar... En als je moeder daarachter komt...'

'Ik ben niet bang voor haar, hoor.' Ik probeerde het biertje te pakken. Ron hield het omhoog, links, rechts, links. Er klotste bier over de rand, op zijn oranje overhemd. Ik gaf het op.

Hij bracht de beker naar zijn neus en snoof. 'Smerig eigenlijk, dat spul,' zei hij. Toen nam hij een slok.

'Hé, je drinkt toch niet meer?' zei ik.

'Nee, even proberen. Het is vies. Zeker weten.' Hij draaide de beker om. Het gras mocht dronken worden, niet hij.

'Wil je naar huis of met mij mee?' vroeg Ron in de auto terug.

Ik dacht na. Ik had al tegen mijn moeder gezegd dat ik thuis zou komen, zodat ze ook vanavond niet zou denken dat ze dingen kon uithalen. Ja, naar huis was beter. Aan deze kant van het plan ging alles goed, meer dan goed. Maar aan de andere kant moest ook gewerkt worden. Misschien kon ik vanavond nog met haar praten. En anders morgen. Over hoe leuk het was met Ron. Hoe aardig en lief hij was. En dat hij niet verliefd was op Lies. Dat hij de ware liefde nog moest ontdekken. Dat ze hem moest leren kennen om te zien dat hij echt veranderd was. Dat soort dingen en meer.

'Naar huis maar,' zei ik.

Ze was thuis. Alleen, gelukkig. Ze keek naar een oude film. Ik plofte naast haar.

'Leuk gehad?'

Ik knikte, met mijn gezicht in de extra blije stand.

In de film was er duidelijk spanning tussen de man en de vrouw. Zij deed niet aardig. Maar hij trok zich er niets van aan. Hij kuste haar, zij gaf hem een klap in zijn gezicht, hij grijnsde.

Af en toe lachte mijn moeder spottend. 'Ja hoor, zó gaat dat,' zei ze dan. Waarmee ze dus bedoelde dat het absoluut níét zo ging, volgens haar.

'Waarom kijk je ernaar, als je er toch niets van gelooft?' vroeg ik.

'Het is verder een goede film,' antwoordde ze. 'Alleen dat liefdesgedoe is nogal belachelijk.'

Van mijn moeder mag ik alles lezen wat ik wil, behalve liefdesromannetjes. Daarvan krijg ik een verkeerd beeld van hoe het werkt in de liefde, zegt ze. Het heeft niks met het echte leven te maken. Ik lees ze dus stiekem. Niet vaak, soms. Vroeger kreeg ik ze wel eens van oma. Maar mijn moeder ontdekte het en werd woest. Oma was me langzaam aan het vergiftigen, riep ze. Nu lees ik ze alleen nog soms, als ik bij oma en opa ben.

Oma schaamt zich er niet voor, ze leest ze gewoon openlijk. En opa lacht haar niet uit. Hij wordt er ook niet onzeker van. Dat heb ik hem een keer gevraagd, maar hij snapte niet wat ik bedoelde. Ik bedoelde dit: de mannen in die boekjes zijn geweldig. Ze zijn knap en rijk en ze doen alles goed. Ze laten geen scheten, hebben geen stinksokken en mopperen niet over alles wat er in de krant staat. Ze hebben altijd een markante kaaklijn, terwijl opa die niet heeft. Ze hebben een bos glanzend donker haar met één weerbarstige lok. Opa niet, die heeft sowieso maar één lok. En hoe pittig de vrouw ook is, de liefdesroman-man kan haar aan, maakt haar tot smeltende was in zijn handen. Opa kruipt achter zijn krant of verdwijnt met zijn puzzelboekje naar de wc als oma pittig doet. Nou ja, misschien is dat ook een soort van 'aankunnen'. Maar oma vergelijkt hem blijkbaar niet met die mannen. Ik denk eigenlijk ook niet dat zij zo'n man zou kunnen krijgen. Die hebben liever een jongere vrouw. In die boekjes tenminste. En die boekjes zijn dus inderdaad niet erg realistisch. Stoffel is het bewijs. Als we in een boekje hadden geleefd, was hij echt niet verliefd geworden op mijn moeder. Ze is veel te oud voor hem. In de boekjes is de vrouw altijd jonger, meestal véél jonger. En mijn moeder heeft dan wel een 'pittig karaktertje', net als in de boekjes, maar in haar geval is dat bepaald niet aantrekkelijk.

De film was afgelopen. 'Toch is het lekker hè, zo'n happy end,' zei ik.

'Ja,' zei mijn moeder. 'Maar van mij hadden ze dat liefdesverhaaltje eruit mogen halen.'

'Mensen wíllen een liefdesverhaal.'

'Ja, dat is waar, anders verkoopt het niet.'

'Jij wilt toch ook een liefdesverhaal?'

'Nee hoor.'

'In je echte leven, bedoel ik.'

'O. Jawel, maar...' Ze aarzelde, zocht naar het goede antwoord.

Ik liet haar niet verder denken. 'Ging je niet uit, vanavond?'

'Nee. Ben gisteren al geweest.'

'Was het leuk?'

'Ja, het was heel leuk.'

'Ben je verliefd op Stoffel?'

'Hè?'

'Ik vind jullie niet zo bij elkaar passen. Schrok je, toen je Ron opeens zag?'

'Eh... ja, nogal. Ik was er niet blij mee.'

'Maar het viel mee, hè? Toch? Er gebeurde niks verschrikkelijks. Toch?'

'Nou nee, maar –'

'Zo zie je maar weer. Jij kent hem van vroeger, maar nu is hij heel anders. Hij drinkt niet, hij spuit niet, hij snuift niet, hij werkt en doet gewone dingen.'

'Wat voor dingen?'

'O, een boek lezen, de tuin omspitten, boodschappen doen bij de supermarkt. Hij zou je best eens opnieuw willen ontmoeten. En nu héél anders natuurlijk. Gewoon, zoals gewone mensen doen.'

'Ron is niet gewoon.'

Ze sprak zijn naam uit! Grote vooruitgang.

'Maar dat is ook wat hem juist leuk maakt, toch? Vond je hem vroeger niet juist daarom leuk?' Ik wachtte haar antwoord niet af. 'Er zijn genoeg gewone mensen op de wereld. Hij is anders. En de stomme dingen die hij deed, dat kwam door de drank en de drugs.'

'Het was wel wat erger dan "stomme dingen".'

'Oké, misschien, maar dat was toen. Nu is nu. Je zou hem een keer kunnen ontmoeten en dan zélf zien hoe hij is.'

Ze was een tijd stil. Dat was bijzonder. Ze was niet snel stil. Ik keek opzij en zag dat haar oog vochtig was, het ene oog dat ik vanaf hier kon zien tenminste. Hè? Mijn moeder huilt niet.

'Het was écht erg,' zei ze. 'Geloof me nou maar.'

Ik durfde niet nog een keer te zeggen dat hij echt veranderd was. Ik wilde vragen wat hij dan toch had gedaan dat zo verschrikkelijk was. Maar ik vroeg het niet. Misschien wilde ik het niet écht weten.

De telefoon ging. Waar was ik? Mijn kamer. Alles donker. Hoe laat? Halftwee.

Ik lag dus al een uur in bed en had blijkbaar geslapen.

Snel stapte ik uit bed en pakte mijn telefoon uit de lader. Het was Lies, zag ik.

'Lies, hoi.'

'Waar zijn jullie? Waarom zijn jullie zo laat?'

Mijn hersens stonden nog op 'slaap'. 'Thuis. Hoezo laat? Waar laat?' Ik snapte er de ballen van.

'Thuis? Bij jou?'

'Ja.'

'Mag ik Ron dan even?'

'Die is hier niet.'

'Wanneer is hij weggegaan dan?'

'Eh... ik weet niet.'

'Hoezo weet je dat niet?'

'Hij is hier niet geweest.'

'Waar is hij dan?'

Dit rukte mijn hersens uit hun sluimertoestand. 'Hè? Gewoon thuis, toch?'

'Nee dus.'

Beelden van Ron in een lijkkist. In het ziekenhuis, in coma. In een rolstoel, zonder benen en armen. 'Sorry meisje, we moesten ze eraf snijden. Ze zaten klem tussen een blauwe auto en een vrachtwagen met betonblokken.'

Ik besloot voor hem te zorgen, voor altijd en eeuwig.

Ik vertelde Lies dat we de auto hadden geleend van Wieger. Dat Ron mij naar huis had gebracht en toen de auto ging terugbrengen. Daarna zou hij met de bus naar huis, de halte was ongeveer twintig minuten lopen vanaf Wieger. Hij had de laatste bus nog makkelijk kunnen halen.

'Misschien is hij er met de auto vandoor,' zei ik. 'Naar Parijs, of zo.'

Onmogelijk natuurlijk, want dan zou hij mij hebben meegenomen.

'Doe niet zo stom,' zei Lies. 'Waarom zou hij naar Parijs gaan? Bel je stiefvader even op en vraag of de auto al terug is.'

Nou zeg!

Wieger vond het niet raar dat ik hem om halftwee belde.

'Hé, Kiek! Wat is er, meid?'

'Heb je de auto terug?'

'Ja hoor, Ron heeft hem netjes teruggebracht.'

Geen ongeluk dus. Of toch? Ik zag voor me hoe de bus een diepe sloot in reed, alle passagiers vlogen door de voorruit. De buschauffeur was als enige niet dood of gewond, want hij was dronken. Als je dronken bent, bezeer je je minder snel.

Ik zei 'doei' en hing op.

Ik belde Lies. 'De auto is terug,' zei ik.

'Dan weet ik genoeg,' zei ze. 'Dag.'

'Wat? Niet ophangen. Wát weet je?'

'Ik had al een tijdje een gevoel dat het niet goed ging.'

'Hoezo, niet goed?'

Waar had ze het over? Het ging juist hartstikke goed! Beter dan ooit. Hij had mij nu.

'Ik ga er nu niet over praten.'

'Waarom niet? Ik wil het weten.'

'Hij hangt ergens in de stad rond. Dronken, of weet ik veel wat.'

'Nee hoor, hij drinkt niet meer.'

Ik hoorde haar zuchten. 'Kiek, ga slapen.' Ze hing op.

Ik belde Ron. Lies had natuurlijk ook al gebeld, maar zij was mij niet. Als ik belde nam hij op.

Hij nam niet op. Ik belde hem nog vijf keer. Vijf keer nam hij niet op.

Ik ben tegen de ochtend toch nog even in slaap gevallen, maar toen ik wakker werd, was ik niet uitgeruster. Het voelde alsof ik de hele nacht aan de waslijn in de regen te drogen had gehangen.

Ik moest ophouden met haar te bellen, zei Lies.

Als ze iets hoorde, belde ze mij wel, beloofd.

'Ik ga naar Lottie,' zei ik tegen mijn moeder. Mijn moeder bewerken om Ron te willen ontmoeten leek nu even niet zo belangrijk. Er moest eerst een Ron zíjn om te ontmoeten. Thuis werd ik gek van het nietsdoen.

Lottie deed raar. Afstandelijk. Ik vertelde over Ron en zijn verdwijning. Daarna probeerde ik gesprekken te voeren en dan antwoordde ze wel, maar beleefd, alsof ze me niet goed genoeg kende om normaal te doen.

'Maar hoe was het nou, vrijdagavond in de TS?' Ik had het al een keer gevraagd, en net als eerder zei ze: 'Dat was heel erg gezellig.'

Ik vroeg door: 'Wat deden jullie dan? Wat deed Jurg? Heeft hij iets met Lutitia gedaan? Hoe laat gingen jullie weg? Wat

heb je met Rikzo gedaan? Zijn jullie het atelier in geweest?'
Het atelier in, dat was wij-taal voor seksen.
'O, gewoon. Niks bijzonders. Buh. Ik weet niet hoe laat. Ik
ben niet met Rikzo in het atelier geweest.' Dat waren haar
antwoorden ongeveer. Ze vertelde niks, niet als ik ernaar
vroeg, niet uit zichzelf. Wat was er aan de hand? Ik wilde
haar beetpakken en door elkaar rammelen, dan zouden de
échte antwoorden misschien worden losgeschud en uit haar
rollen. Was ze boos? Had ik iets gedaan? Ik speurde mijn
hersens af, elk hoekje, maar vond niets. Niet iets wat ík verkeerd had gedaan tenminste. Alleen dingen die zíj verkeerd
had gedaan.

'Hoe is het met jou en je moeder?' vroeg ik. 'Wil ze je nog
naar je vader sturen?'

'O neuh, dat gaat wel goed. Gewoon.'

'Wat is er nou?'

'Niks, hoezo?'

'Ron is zoek en mijn beste vriendin is... óók nog zoek.'

'Hoe bedoel je?'

Ik pakte haar arm en schudde eraan. 'Waar ben je? Ik wil de
echte Lottie terug.'

'Laat los.' Ze rukte haar arm uit mijn handen. 'Doe niet zo
stom.'

'Zeg dan wat er is.'

'Er is niks. Niks belangrijks. Niks wat met jou te maken
heeft.'

'Nou én? Daarom kun je het toch wel vertellen?'

'Misschien wil ik gewoon even alleen zijn en een boek lezen.
Dat kan toch?'

'Waarom?'

'Wil jij nooit alleen zijn en een boek lezen?'

'Jawel. Maar... er is zoveel te bespreken. Ik snap het niet.'
'Ik heb juist niet zoveel te bespreken.'
'O.' Het was en bleef stil. 'Nou, dan ga ik maar.' Ik stond op.
'Oké. Tot later.'
Ik liep de trap af. Ik deed de voordeur open. Ik gooide de voordeur dicht. Ik stond nog steeds binnen. Verdorie, ik had Ron om me zorgen over te maken en nu ook nog Lottie erbij. Wat was dit voor stom gedoe? Ze was mijn beste vriendin, dit hoefde ik niet te pikken. Hup, terug naar boven, ik ging haar net zo lang en hard aan haar haren trekken tot ze zich bestevriendinnerig ging gedragen.

Ik banjerde naar binnen. 'Moet je horen...'
Lottie zat nog steeds op haar bed, in precies dezelfde houding als net, alleen had ze nu haar gezicht in haar handen. Ze keek geschrokken op. Haar ogen waren betraand.
'Wat ís er? En zeg niet "niks", want daar geloofde ik net ook al geen bal van.' Ik zei het minder vriendelijk dan je misschien zou verwachten van iemand die haar beste vriendin in tranen aantreft, maar ik was nog opgeladen van mijn stoere voornemen van daarnet. En eigenlijk was ik ook best boos. Waarom zei ze niks, waarom stuurde ze me weg en ging ze in haar eentje zitten janken? Waarom sloot ze me totaal buiten?
'Alles is kut,' zei ze. 'En dan kom jij met dat je vader zoek is en dat hij misschien wel dood of drugsspuitend in de bosjes ligt en dat is nóg kutter en dan vind ik dat ik niet mag zeuren en ik kan toch niet zeggen wat er allemaal is want het is veel te veel en het interesseert jou niet want je bent alleen maar met Ron bezig de laatste tijd en bovendien... '
Lottie hield op en haalde adem. De hele zin was er volgens mij zonder adempauze uitgekomen.

En er kwam nog een 'bovendien'.

Ze boog haar hoofd en legde de onderkant van haar handen tegen haar voorhoofd. 'Ik heb geheimen.'

'Geheimen? Wat voor geheimen?' Het klonk spannend. 'Geheimen deel je met je beste vriendin, daar zijn het geheimen voor, toch?'

'Nee. Ze zijn...' Lottie snokte, halfingehouden. Snokken is hetzelfde als snikken, maar dan zonder het meisjesachtige. Wat er uit haar kwam was meer een soort bouwvakkerssnik. 'En ze gaan ook over jou. Ik hou het niet meer. Ik knap gewoon.'

Er flitste van alles door mijn hoofd. Wat kon ze in vredesnaam bedoelen? 'Vertel het dan.'

'Dan word je kwaad. En verdrietig. En dan weer kwaad. Op mij, omdat ik het niet verteld heb.'

'Misschien, maar als je het niet zegt, word ik ook kwaad.'

Ze trok haar handen weg, richtte haar hoofd op en zei: 'Stoffel is verliefd op je moeder. Zo. Dat is één.'

Hè, hoe wist zíj dat? Van verbazing kon ik geen woord uitbrengen. Dat hoefde ook niet, want ze praatte uit zichzelf verder: 'Dat zei hij, op dat feest in de Koekjesfabriek, toen jij lag te kotsen.' Ze keek me niet aan, ze staarde naar de grond vlak voor me. Ik stond nog steeds bij de deuropening. Ik sloot zachtjes de deur achter me.

'Hij zei dat het liefde op het eerste gezicht was geweest, zo heftig, dat had hij nog nooit meegemaakt. Hij kon niet meer eten, niet meer slapen, nauwelijks meer spelen.'

Auw. Die extra informatie deed toch nog pijn. Al die tijd dat ik naar hem had lopen smachten, liep hij dus al naar HAAR te smachten.

'Ik wist al dat hij... verliefd op haar was, of zo.'

'O ja?' Nu keek ze me wel aan.

'Ik had het juist voor jóú geheimgehouden.'

'Waarom?'

'Omdat jij altijd alles doorklept!'

'Ik? Hoe kom je daarbij?'

'Omdat het zo is. Je vertelde aan Rikzo dat ik verliefd was op Stoffel en dat je jezelf daarom op de grond liet vallen in het café. En dat Stoffel verliefd was op iemand anders. Ik durf te wedden dat je dit ook hebt gezegd. En dat iedereen het weet.'

Ze was even stil. 'Ja, ik heb het verteld. Maar ik heb gezegd dat hij het niet mag doorvertellen.'

'O, en daar houden mensen zich aan. Vette roddel en dan vertellen ze het niet door, zeker. Je wordt bedankt. Dit bedoel ik dus.'

'Maar ik móést het aan iemand kwijt. Anders barstte ik uit elkaar. Ik durfde het niet aan jou te vertellen, je was al zo verdrietig. Het leek me zo... afschuwelijk.'

'Nou ja, ik snap het wel en toch vind ik het stom.'

'Ik snap dat je het stom vindt.'

'En dat je altijd zo anders wordt als je met een jongen bent. Dat vind ik ook niet leuk. Het is alsof je die jongen dan belangrijker vindt dan mij.'

'Hè? Nee, dat is niet zo, echt niet!'

'Zo lijkt het wel.' Ik voelde me iets rustiger, maar durfde nog niet te gaan zitten. Ze was nog niet klaar, wie weet wat er nog meer kwam. 'En verder?'

'Jurg.'

'Wat is er met Jurg?'

'Hij zei allemaal stomme dingen over jou, vrijdag, en daarna ging hij met Lutitia bekken.'

Nog een keer auw. 'Wat zei hij dan?'

'Dat je niet te vertrouwen was, dat je hem gebruikte als het jou zo uitkwam, dat je alleen maar met jezelf bezig was.'

Hèèè? Mijn mond viel kilometers open. Hoe kwam hij daarbij? Hoe durfde hij? Wat dacht hij wel niet? En dan ook nog met Lutitia zoenen. Getverdegetver.

'Ik durfde het niet te vertellen,' zei Lottie. 'Dat moet hij zelf doen, vind ik. En dan is er nog dit, als we toch bezig zijn.' Ze keek weer naar de grond. 'Ik ben ontdingest.' Ze zei het zacht. 'Vrijdagnacht. Het contract.'

'Hèèè?' Gelukkig kon je 'hè' zeggen terwijl je mond gewoon open bleef hangen. Ik zei het nog een paar keer. En daarna: 'Maar net zei je dat je níét het atelier in was geweest.'

'Dat zei ik niet.'

'Jawel. Of heb je het ergens anders gedaan? Waarom heb je niet meteen gebeld? Waarom zeg je het nu pas? Ik wil alles weten, alles, alles.'

Lottie liet zich naar links vallen en ging op haar zij liggen. Ik liep naar haar toe, duwde haar benen een eindje weg en ging op de rand van het bed zitten.

'Dat laatste heeft niks met mij te maken. Waarom hield je dát dan geheim?'

'Omdat het zo stom is.'

'Maar je wilde het toch? Het was het plan.'

'*De kikker.*'

'Wat is er met *De kikker*?'

'Ik heb het niet precies gedaan zoals in *De kikker* staat.'

'Wat maakt dat nou uit? Hoe was het? Ging het goed? Lukte het allemaal? Wat deed Rikzo? Wat zei hij?'

'Niks. Rikzo deed niks en zei niks.'

'Waarom niet?'

Het was stil.

'Hoe kan hij nu niks doen of zeggen als hij seks met je heeft?' vroeg ik. Ik gaf haar bemoedigende duwtjes.

'Dat kan, als hij geen seks met je heeft.'

'Ik snap het niet. Je zei net...'

O nee. Er begon me iets te dagen. Neeeeeeee.

'Ik was wél in het atelier,' zei Lottie. 'Maar niet met hem.'

'Dat meen je niet. Dat méén je niet!'

'Zie je wel dat je boos wordt?'

Ik had graag willen zeggen dat ik niet boos was, dat ze het zelf moest weten, dat het háár leven en háár zazazorium was, maar jammer genoeg was ik wél boos. En ik had geen zin om te liegen. 'Hoe kun je dat nou doen? Met Sven? Je lijkt wel niet goed bij je hoofd! Ik word er niet goed van, echt waar, ik vind het zó ongelooflijk stom, na álles, en dan ga je uitgerekend met hem... Met HEM!'

'Hou maar op, ik weet het heus wel!' Ze trok haar benen op en sloeg haar armen eromheen.

Ik kende het gevoel. Soms wil je een klein bolletje zijn, want dan komen er minder vervelende dingen binnen.

'Als je het zo goed weet, waarom doe je het dan?' vroeg ik.

'Doe jij nooit iets stoms?'

'Natuurlijk wel, maar dít... Wat zei Rikzo?'

'Niks. Hij weet het niet. Ik ga het ook niet zeggen. Hij heeft niet eens gebeld.'

'Wie, Rikzo?'

'Nee, Sven.'

'Natuurlijk belt hij niet. Dat heeft hij nooit gedaan. Je móét het tegen Rikzo zeggen. Was hij eerder weggegaan, vrijdag?'

'Nee.'

'Dus je hebt het met Sven gedaan terwijl Rikzo er ook was?'

'Niet in dezelfde ruimte, hoor.'

'Nee, dat snap ik ook wel. Maar dacht hij dan niet: waar is ze gebleven?'

'Het duurde niet zo lang.' Ze was even stil. 'Er was een fles jenever. Rikzo was nogal dronken en lag op de wc's te kotsen, en daarna viel-ie half in coma. Doet er verder niet toe. Het ging een beetje vreemd, allemaal.'

'Hét? Jíj, zul je bedoelen.'

Ik wilde alles weten, alle details, maar de kwestie 'Sven' hing levensgroot tussen ons in. Hoe kon ik leuk met haar over de gehadde seks praten als ze die seks met hém had gehad? Dat ging niet. Die boosheid moest eerst weg. Snel. Hoe kreeg je boosheid snel weg?

'Leg het dan eens uit! Waarom Sven? Na alles?'

'Ik weet het niet. Ik voel me gewoon anders, bij hem. Anders dan bij Rikzo. Ik dacht dat het over was, maar... Nou ja, ergens wist ik wel dat het niet over was.'

'Maar hoe kun je nou verliefd blijven op iemand die niet verliefd op jou is?'

'Misschien wordt hij het nog. Dat kan toch?'

'Dan moet je *De kikker* nog eens goed lezen.'

'Alsof die Hannelore Engelbert alles weet.'

'In dit geval wel. Jongens worden in elk geval niet verliefd op je omdat je seks met ze hebt.'

'Alsof jij het allemaal zo goed hebt gedaan met Stoffel. En met Jurg.'

'Dat is gemeen, over Stoffel beginnen.'

'O ja? Jij denkt dat jij zo bijzonder bent met je enorme liefdesverdriet, zo groot dat de hele wereldbol er te klein voor is, maar ik heb hetzelfde gevoeld, hoor, met Sven. Maar dat snapte jij nooit. Jij had het er alleen maar over hoe stom hij was en dat hij het niet waard was om verdriet om te hebben.'

'Dat is ook zo.'

'Nou en! Ik hád het wel.'

Het was even stil. 'Dan is hij maar niet verliefd op mij,' ging ze verder. 'Ik wel op hem. Ik wilde de eerste keer seks hebben met een jongen op wie ik verliefd ben, liever dan hij op mij.'

'Allebei, dat kan ook. Ik blijf het stom vinden.'

'Je vindt maar een eind weg.'

'Hebben we nu ruzie?' vroeg ik.

Lottie haalde haar schouders op. 'Ik niet met jou.'

'Ik ook niet met jou.'

'Gelukkig.' Ze hief haar hoofd een stukje op, keek naar me en glimlachte.

Ik pakte haar hand en kneep er zacht in. 'Ik moet weg, ruziemaken met Jurg. Ik ben nu toch bezig.'

'Oké. Zullen we vanavond wat doen?'

'Ik weet niet. Als Ron nog niet terug is, ga ik hem zoeken.'

'Dan gà ik met je mee.'

Wij waren weer wij. Helemaal.

Ik gokte dat hij thuis zou zijn. Ik gokte goed. Hij schrok toen hij me zag. 'O, jij.'

'Ja, ik.'

Typisch. Slecht geweten, natuurlijk.

We liepen naar zijn kamer. Ik ging niet zitten. Staan was beter als je boos was. 'Waarom doe je zo stom?' vroeg ik.

Hij sperde zijn ogen zo wijd open dat de rest van zijn gezicht bijna verdween. 'Hè? Ik doe stom? Ík?'

'Ja jij, ja. Wie anders? Je zegt rare dingen over mij en je zoent met Lutitia, twee dagen nadat wij... in het atelier zijn geweest.'

Jurg liep druk heen en weer door zijn kamer, wat best lastig was, want die was nogal klein. 'Ik... jij... jemig. Hoe krijg je het voor elkaar?'

'Wat krijg ik voor elkaar? Jíj krijgt het voor elkaar. Dat dóé je toch gewoon niet?'

Jurg liep verder, wat vooral neerkwam op bochten maken. Hij deed zijn mond open en weer dicht, wel vijf keer, alsof hij iets wilde zeggen maar dan toch weer niet. 'Pff, ik weet gewoon niet waar ik moet beginnen. Jij.'

'Wat "ik"?'

Nu bleef hij stilstaan. 'Oké dan. Wilde je eigenlijk wel? Je zei van wel, toch had ik steeds het gevoel dat je níét wilde. Niet echt.'

'Ik wilde wél. Maar het was natuurlijk wel uit. Dat was ook niet voor niks.'

'Uit? Hoe bedoel je, uit?'

'Uit. Niet meer aan.'

'Sinds wanneer?'

'Sinds na die film. Doe effe normaal, dat weet je heus wel.'

Jurg stond stil en keek me met grote ogen aan. 'Hè? Ik weet van niks.'

'Ik heb het allemaal uitgebreid uitgelegd. Heb je dan totaal niet geluisterd?'

'Voordat je op je fiets stapte had je een wazig verhaal waar ik geen touw aan vast kon knopen, bedoel je dat?'

'Wazig? Ik probeerde het een beetje aardig te brengen. Maar het was heus wel duidelijk.'

'Echt niet, ik zweer het je, ik wist van niks. Jezus, zeg!'

Misschien moest ik toch maar even gaan zitten. Ik plofte op de kruk waarop Jurg altijd zat als hij basgitaar oefende. Als hij niet wist dat het uit was, dan... Ik probeerde alles terug te halen in mijn hoofd. Alles wat er was gebeurd na die film-avond, terwijl híj dacht dat het aan was en ik dacht dat het uit was. Jemig, zeg.

Hij onderbrak mijn pogingen tot gedachten. 'Maar waarom ging je dan met mij... Waarom wilde je dan... je weet wel?'

'Ik weet niet.'

Ik wist het wel, maar het klonk opeens niet zo leuk, als ik het zei in mijn hoofd: *ik was verliefd op iemand anders en hoopte dat het zo over zou gaan.*

'En je was ook nog verliefd op iemand anders.'

'Eh...'

Hoe wist hij dát nu weer?

'Op die jongen achter de bar in 't Pietertje. Dat zeiden ze al. Ook dat je met hem had proberen te zoenen. Dat was dus wél waar, allemaal.'

Shit. Lottie en haar doorgeklep. Woesj, even vloog er weer een woedevlaag door mijn buik.

'Dus... is het zo? Je wilde met mij seks hebben, terwijl je ver-liefd was op iemand anders?'

Ik haalde mijn schouders op in een poging nonchalant te lij-ken. 'Zo erg was het heus niet.'

'Was het zo of niet?'

'Jemig, wat kan jou dat nou schelen! Jongens zijn blij als een meisje met ze naar bed wil. Ga jij een beetje een potje lopen zeuren.'

Zo, die zat, daar had hij niet van terug.

'Stom shitwijf!'

Ik viel bijna achterover van schrik. Jurg stond pal voor me, met donder en bliksem in zijn ogen. Jurg was lief, Jurg was aardig, Jurg schold me niet uit voor stom shitwijf. Maar dat deed hij wel. En hij deed het nog een keer: 'Ongelooflijk stom shitwijf! Wat denk jij wel niet?' Het was een vraag, hij verwachtte waarschijnlijk geen antwoord, maar dat had ik ook niet durven geven. Ik zat heel stil op mijn krukje. Het ging heel anders dan ik had verwacht. Ik zou hém de wind van voren geven, hij mij niet. 'Denk je dat jongens geen gevoel hebben of zo, dat alleen meisjes gevoel hebben, die fantastische geweldige superwezens, dat jongens robotten zijn die alleen maar hun lul achternalopen, die alleen maar willen seksen, die meisjes gebruiken, en ja die heb je er heus wel bij maar verdomme je kent mij toch, hoe durf je dat van mij te denken? Je kent me helemaal niet. En je hebt ook nooit moeite gedaan om me te kennen. En als íémand íémand heeft gebruikt, ben jij dat. Mij. Shit. Shit.'

Jurg zei alles met veel kracht, maar bij de laatste 'shit' was zijn stem zachter geworden. Ik durfde nu iets terug te zeggen. Eerst even flink ademhalen. 'Maar... ik weet ook nooit wat je denkt of voelt. Het gaat altijd moeilijk, onze gesprekken. Jij zegt zo weinig uit jezelf, en je vraagt ook niets en ik vond het soms gewoon een beetje... een beetje saai.'

Hij keek me aan. Toen liet hij zich op zijn bureaustoel zakken. 'Shit,' zei hij weer.

'Wat is shit?'

'Kut. Alles. Nou ja, ik weet vaak niet wat ik moet zeggen. Ik durf niet zo goed, of zo.'

'Wat niet?'

'Alles zeggen wat ik wil zeggen.'

'Het gaat je nu best goed af, anders.'

Hij glimlachte. 'Ja, nu wel.'

Zo zaten we een tijdje, stil. Maar deze keer was de stilte niet erg.

'Kiek,' zei Jurg.

'Ja?'

'Ik voelde me echt... vies of zo. Dat jij dat allemaal deed, terwijl je niet echt wilde. Terwijl je... weet ik veel. Die andere vent... Echt een klotegevoel.'

'Oké, maar waarom ging je met Lutitia zoenen?'

'Gewoon. Ze is leuk. Ze vindt míj leuk. Het is leuk als iemand je leuk vindt, vooral na...'

'Hm. Je bent dus niet echt verliefd op haar?'

'Niet echt.'

'Dus je gaat met haar tongen terwijl je eigenlijk... iemand anders leuker vindt?'

Hij staarde nadenkend naar de muur. 'Hm. Oké. Maar ik vind het minder erg dan all the way-seks hebben terwijl je iemand anders leuker vindt.'

'Nou ja, dat lukte dus niet echt, all the way. 35% misschien.'

'Wat een stom gestuntel was dat. Ik voelde me echt giga-onhandig.'

'Jij? Ík voelde me onhandig. Megagiga.'

Het was weer stil.

'Jurg?'

'Ja?'

'Kun je niet altijd zo zijn als nu? Het, bedoel ik. Kan het niet altijd zo zijn?'

'Hoe dan?'

'Dat je alles zegt, en zo. En ik ook.'

'Ik weet niet. Misschien. Maar het is wel echt uit tussen ons.'

Ik knikte. Dat wilde ik zelf ook. Dat moest ook, na alles. Maar ik vond het wel wat minder leuk.

Ik hoorde niets van Lies. Ik belde haar om acht uur. Haar stem klonk een beetje schor. 'Jij weer,' zei ze. 'Ik zei toch dat ik zou bellen als ik wat hoorde?'

'Maar ik hoor aldoor niks.'

'Omdat ik ook niks hoor!' Er kwam een harde uitblaaszucht achteraan.

'Waar denk je dat hij is?' vroeg ik.

'Ik denk niks. Ik weet ook niks. Ik heb er genoeg van.'

'Waarvan?'

'Van het gedoe. Van hem.'

Het plan bleef zichzelf maar uitvoeren, ook nu ik liever wilde dat het even wachtte met zichzelf uitvoeren. Als het zo doorging zou het niet lang meer duren of Lies kondigde haar verloving met een wachter aan. De volgorde was helemaal fout. Eerst moesten Ron en Yvonne verliefd worden, daarna mocht Lies weg. Aan de volgorde had ik niet gedacht. Er zat een gevaarlijk gat in het plan. Waarom zag ik dat nu pas?

'Zullen we hem samen zoeken?' vroeg ik. Ik had niet veel zin om dat met Lies te doen, maar ze mocht niet afhaken, niet nu. Het plan leek plotseling een dommewichterig ideetje, hoe kwam ik erbij? Het was veel te groot allemaal, veel te echt, waar bemoeide ik me mee?

'Nee.'

'Waarom niet?'

'En jij moet hem ook niet gaan zoeken.'

'Waarom niet?'

'Het heeft geen zin.'

'Maar hij is mijn vader.'

'Ja, dat weten we nu wel.'

Wat bedoelde ze daarmee? Ik vroeg het niet. Er waren belangrijker dingen. 'Als ik hem vind, mag hij dan nog wel naar Doodschaap komen?'

'Ik weet het even niet meer,' antwoordde ze. 'Dag Kiek.' Ze hing op.

Op de fiets bedachten Lottie en ik een route. De meeste kans om hem te vinden hadden we waarschijnlijk in muziekcafés. Het bekendste in de binnenstad was De Balk. Daar zouden we beginnen, maar we gingen alle cafés onderweg daarnaartoe alvast langs. Het was zondag, dat was een voordeel, het was nergens heel druk, dus je kon al snel zien of hij er was. Hij was er niet. Nergens. Het barstte van de cafés, het was alsof ik nu pas zag hoeveel er waren. Het leek wel een café-jungle.

Toen we voor 't Pietertje stonden, vroeg Lottie: 'Even pauze?'

'Waarom hier?'

'Hier kennen we mensen, dat vind ik leuker.'

'Maar wat als Rikzo er is?'

'Die is er niet. Hij is een paar dagen weg.'

Ik keek naar binnen. Dorien stond achter de bar. 'Goed dan.'

We gingen aan de bar zitten en bestelden cola. Nuchter blijven was belangrijk. Ik vertelde Lottie over mijn telefoongesprek met Lies.

'Wat bedoelt ze daarmee?' vroeg Lottie toen ik de ja-dat-weten-we-nu-wel-opmerking had herhaald.

'Geen idee. Maar ze is volgens mij niet zo blij met mij.'

'Misschien is ze jaloers,' zei Lottie.

'Waarom zou ze?'

'Weet niet. Omdat je aandacht van hem krijgt.'

'Hm, misschien. Maar...' Ik dempte mijn stem. 'Vertel eens over de lintjesdoorknip.'

'Nu? We zijn op zoek naar Ron, dat is belangrijker, toch?'

'Vertel dan alvast íéts.' Ik wilde het echt graag weten, ook al was dat inderdaad een beetje raar, terwijl ik zo bezorgd was over Ron. Maar het zou me afleiden. En eerlijk gezegd verwachtte ik niet dat we hem echt zouden vinden. Iets dóén was gewoon prettiger dan nietsdoen en afwachten. Maar we konden er ondertussen maar beter een zo leuk mogelijke avond van maken.

'Heel stom,' zei Lottie. 'Maar op het moment dat hét echt gebeurde, dat-ie naar binnen ging, dacht ik: ha, nu heb ik gewonnen.'

'Gewonnen? Wat?'

'Van jou. Onze afspraak.'

'Daar dénk je toch niet aan op zo'n moment?'

'Wel dus.'

'En het was geen wedstrijd, toch?'

'Nee, natuurlijk niet.'

'Als het een wedstrijd was, had ik al voor 35% gewonnen.'

'Nou ja, dan heb ik nog steeds voor 65% gewonnen. En dat is meer.'

'Hoe vond je het?'

'Supie-de-pupie.'

'Wat dan precies?'

Lottie dacht na. 'Dat het met hem was. Vooral dat. Hij voelt lekker, hij ruikt lekker, hij zoent lekker, alles is lekker aan hem. En hij was een en al... lief. Lief, was hij.'

'En wat vond hij ervan dat het jouw eerste keer was?'

'Niks. Hij weet het niet.'

'Hij heeft je ontmaagd en hij weet het niet?'

vroeg ik, toen ik klaar was met tien keer van de kruk vallen.

'Sst!' Lottie wapperde wild met haar handen.

'O, sorry.' Ik herhaalde de zin, nu fluisterend. 'Hoe kan dat?' vroeg ik daarna.

'Dat kan, blijkbaar.'

'Maar hij komt toch ergens tegenaan met zijn geval? Het lintje, dat ding daar, het maagdenvlies.'

'Ik snap het ook niet. Maar hij had in elk geval niks door.'

'Deed het geen pijn?'

'Nee, viel wel mee.'

'Misschien was het ding al niet meer heel, bij jou.'

'Misschien.'

'Waarom heb je het niet gezegd? Nu denkt hij misschien dat je al met een heleboel jongens naar bed bent geweest. Dat het niks betekent, voor jou.'

'Ik weet niet, anders leek ik zo onervaren. En ik gunde het hem niet.'

'Wat?'

'De eer.'

'Wat heeft dat nou met eer te maken?' vroeg ik.

Ze gaf geen antwoord. Dat hoefde natuurlijk ook niet, ik snapte best wat ze bedoelde. Maar het was en bleef zo stom allemaal. Je gaat met iemand naar bed, maar je gunt hem niet 'de eer'. Doe het dan helemaal niet! Maar ja, wie was ik om er iets van te zeggen? Ik had er zelf ook nogal een zooitje van gemaakt.

'Waarom vertelt niemand ons gewoon even precies hoe het moet, allemaal?' vroeg ik. 'Dat zou veel makkelijker zijn.'

'Het staat in *De kikker*.'

'Pff, alsof iemand je zomaar even kan vertellen hoe het allemaal moet.'

'We gaan het boek verbranden, in de tuin,' zei Lottie.

'Goed, maar we gaan het eerst volkladden met leuzen. 'Onzin!' 'Belachelijke bullshit', 'Rotzooi!', 'Bedenk eens iets beters!', 'Hou je kat voor de gek!'

We stroopten de rest van de kroegen af, op weg naar De Balk. We letten ook op halflege glazen op de bar, want die konden betekenen dat de drinker ervan even naar de wc was. Meestal waren ze buiten aan het roken.

Na een tijdje stonden we voor De Balk. 'Gek,' zei ik. 'Hier stond ik een halfjaar geleden ook, óók op zoek naar Ron. Maar toen kende ik hem nog niet. Ik kreeg hier een goede tip van iemand.'

'Misschien gebeurt dat nu wel weer,' zei Lottie. 'Kom.'

Het was best druk in De Balk. Lottie zag een vrouw die ze kende, een kennis van haar moeder. Ze bleef met haar staan praten.

'Blijf maar, ik kijk wel even boven,' zei ik. Ik liep de trap op, keek rond en nam de trap naar de volgende verdieping. Als Ron er niet was, ging ik gewoon muzikantentypes aanspreken, net als de vorige keer. Ik kon ze vragen in welke andere cafés in de stad veel muzikanten komen.

Maar het was niet nodig. Ik zag zijn rug. Gebogen, als een ervaren barhanger. In het oranje overhemd dat hij gisteren ook aanhad.

Ik voelde mijn spieren verstijven, ik wilde me omdraaien, niet zien, niet kijken, niet weten, maar ik bleef staan. Daar zat hij. Naast een man met ook een rug. Wat nu? Ik had hem gevonden, maar wat nu, in hemelsnaam? Ik had daar niet over nagedacht, ik had waarschijnlijk gedacht dat het vanzelf zou gaan, áls ik hem zou vinden. Ik kon hem moeilijk meesleuren de kroeg uit. Zeggen dat hij braaf naar Lies moest gaan.

Het sloeg nergens op.

Maar ik wilde verdomme niet dat hij hier zat en zich bezatte. Hij had míj. Hij mocht dat niet meer. Hij moest normaal doen. Voor mij.

Ik liep naar hem toe en ging naast hem staan. Voor hem stond een breed, laag glas met iets bruins erin. 'Wat doe jij hier nou?' vroeg ik. 'Je bent toch alcoholist? Je mag niet drinken.'

Ron keek opzij. 'Hé.' Zijn ogen stonden lodderig. 'Nee, ik drink gewoon een glaasje met m'n maat hier.' Hij gaf de 'maat' een klapje op zijn rug.

Hij leek niet verbaasd mij te zien. Hij stelde me ook niet voor. 'Ik ben Kiek,' zei ik dus zelf maar tegen de maat. 'Zijn dochter.'

'Aha,' zei de maat. 'Hij vertelde me al zoiets.'

'Hoe lang zitten jullie hier al?' vroeg ik.

'Niet lang. Een poosje,' zei Ron.

'Waarom neem je je telefoon niet op?'

'Dat ding. Ik weet niet waar-ie is.'

'Ik was ongerust. En Lies ook.'

'O, heeft die weer wat te zeuren? Weet je, die Lies heeft altijd wat te zeuren. Ik ga eraan kapot, weet je dat? Ik wil gewoon één glaasje drinken met m'n maat.'

'Volgens mij heb je er wel meer gehad dan één.'

'Het is er maar één. Kijk dan.' Hij wees naar zijn glas. 'Eén. *That's it.*'

Ik voelde een zachte hand op mijn rug. Het was Lottie. 'Hoe gaat-ie?' fluisterde ze in mijn oor.

'Hij zit te drinken,' fluisterde ik terug. Ik draaide een kwartslag om, weg van Ron.

'Wat nu?'

Wist ik het maar. Ik had zin in een potje janken. Zeg maar gerust een pot. Het was toch niet te geloven dat alles goed leek te gaan, helemaal volgens plan, en dat dan opeens alles mis bleek te zijn? Ron was verslaafd. Ik wist niet zoveel van verslaafden, maar wel dat ze van 'het spul' af moesten blijven zodra ze clean waren, of dat nu drugs of drank of wat dan ook was. In Wiegers geval bijvoorbeeld waren het sigaretten. In Lotties geval was het Sven. In Rons geval was het drank en drugs. Dus het kon niet goed zijn dat hij hier aan de bar zat met een glas alcoholisch spul voor zich.

Ik draaide me weer naar Ron. 'Waar heb je vannacht geslapen?'

'Gewoon, ergens. Bij een vriend, of zo.'

Vager kon niet. Ik draaide me om en trok Lottie een eindje mee. 'Ik weet niet wat ik moet doen,' zei ik. 'Hij moet niet drinken, hij moet naar huis en normaal doen. Maar hoe krijg ik dat voor elkaar?'

'We moeten een plan maken,' zei Lottie.

We gingen een eindje verderop aan een tafeltje zitten voor spoedoverleg. Het was voornamelijk stil tijdens het overleg. Ik kon niks bedenken. Lottie ook niet.

'Ik kan altijd iets bedenken, waarom nu dan niet?' vroeg ik.

'Mijn hoofd is ook leeg,' zei Lottie. 'Het enige wat ik kan bedenken is...'

'Wat?'

'Dat we bij hem blijven. Dan kunnen we hem in de gaten houden.'

'Ik denk niet dat hij zin heeft in oppassers.'

'Dan doen we gezellig mee. En ondertussen houden we hem mooi in de gaten.'

'Hij vindt het heus niet goed dat ik ga zitten zuipen.'

'Waarom niet?'

'Gewoon, hij is mijn vader.'

'Wacht.' Lottie stond op, liep naar Ron en de maat, ging tussen ze in staan en praatte met ze. Ze zei blijkbaar iets grappigs, want ze lachten alle drie.

Even later kwam ze terug, met twee bier. 'Van Ron,' zei ze.

'Die gaf hij zomaar?'

'Nee, niet zomaar, hij zei: "Jullie moeten niet drinken, da's niet goed voor pubers." Ik zei: "Nou ja, oké, maar één biertje kan echt geen kwaad, hoor." "Nee, één biertje, dat stelt natuurlijk niks voor," zei hij.'

Het leek me een behoorlijk slecht plan. Maar het was het enige dat we hadden. Weggaan en hem achterlaten, dat ging ik niet doen, no way.

'Goed,' zei ik. 'Maar ik doe nog één poging om hem te laten ophouden met drinken. Als die mislukt, gaan we meedoen.'

'Wat vindt God daarvan?' vroeg ik aan Ron. Ik was met mijn biertje naast hem gaan staan en knikte met mijn hoofd in de richting van zijn glas. Het was voller dan net. Blijkbaar een nieuw.

'O, die kijkt wel even de andere kant op. Hij weet dat af en toe een borreltje geen kwaad kan.'

'Maar jij weet toch dat het wél kwaad kan?'
Ogen kunnen niet grommen, maar toch keek hij me zo aan: grommig. 'Bemoei je er niet mee. Anders donder... ga je maar weg.'
Priktranen. Ze schoten mijn ogen bijna lek. *Denk aan het liedje, hij houdt wél van je. Sterk zijn, niet opgeven, nog niet.* 'Maar ik ken je nog maar zo kort. Ik ben je dochter. Ik wil niet dat je naar de klote gaat.'
'Ik drink één borrel en ik ga meteen naar de klote? En moet je kijken wie mij de les leest, terwijl ze daar zelf met bier staat. Tjongejonge-nog-aan-toe.'
'Ik... maar... eh...'

Ik werd wakker uit een soort onslaap. Ik kwam ergens uit terug, maar waaruit? Het voelde als een verblijf in een ander universum. Mijn lichaam was net teruggelegd door aliens. Wat hadden ze met me gedaan? Mijn hoofd deed pijn. Waar was ik? Ik wilde het weten, maar om daarachter te komen, moest ik mijn ogen openen. Dat had ik er niet voor over. Ik merkte dat de kleinste kier al een afschuwelijk schel licht veroorzaakte.

Nadenken dan maar. De film aanzetten en terugdraaien. *Rewind.* Een taxi. Taxi? Hoe kom ik in een taxi terecht? Ik zit nooit in een taxi. Innige omhelzing met Ron. En Harry. Harry, huh, wat voor Harry? Café uit waggelen. Welk, geen idee. Liefdesverklaring van Ron. Café in waggelen. Spiegel achter de bar. Schrikken. Mijn haar zit stom. Mijn ogen staan vreemd. Weer een schrik: er staat een zombie naast me. O nee, het is Lottie. Lijkenlottie. Lachen met Lijkenlottie.

'Je moet naar huis, anders wordt je moeder boos.' Hij praat heel gewoon. Hoe kan het dat hij zo gewoon praat? Hij heeft wel zeshonderd whisky op.

'Ik ben niet bang voor haar.'

'Ik wel. Jij moet naar huis. Ik breng je. Ik draag je. Ik gooi je.'

'Ik ga niet.'

'Je moet. Je mag niet drinken. Ik wil niet dat je drinkt. Drinken is slecht.'

Lottie en ik kregen de slappe lach. Wat een figuur, die Ron. Hij was echt grappig.

Ik sta te bekken met een Piet. Het voelt alsof ik een deegmachine zoen. Een deegmachine, hahaha, Lottie vindt het prachtig. Piet gaat weg. Hij kijkt niet blij. Waarom niet? Er is niks mis met deegmachine zijn.

'Wie was dat eigenlijk?'

'Piet.'

'Waar ken je die van?'

'Van het café.'

'Welk café?'

'Van dit café.'

'Hè? Van wanneer dan?'

'Van net.'

Een krijslach. Lottie vindt me reuzelollig. Ze wil zelf ook bekken met een Piet om uit te vinden op welk apparaat hij lijkt. Maar we zien niemand die geschikt is, alleen maar oude mannen, van boven de dertig of nog veel ouder. We willen natuurlijk geen verroeste apparatuur.

Jemig, geen meisjes waren ooit zo grappig als deze twee.

Ik hang naast Ron op een kruk. En naast Harry. Harry, 44 jaar, houdt van jong, dat is nu wel duidelijk. Ron zegt dat hij hem in elkaar gaat slaan als hij iets probeert. Ik zeg dat dat niet nodig is, omdat ik Harry voor die tijd allang achterover van de barkruk heb geduwd. Harry kan alleen nog maar bazelen, heeft rooddoorlopen ogen en wankelt als hij loopt. Zo erg zijn wij er niet aan toe! Ik bots wel tegen een tafel, op weg naar de wc. Oeps. Ik stoot een leeg glas van de tafel. Oeps. Ik zit op de wc. Op de grond zie ik een plas ontstaan. Waar komt die vandaan? O, ik zit verkeerd. Het is een plasplas. Haha, een plasplas.

Lottie bonkt op de deur. 'Ben je daar? Je bent zo lang weg.'

'Ik ben hier. Ik plas een plas.'

Ik ga het plashokje uit. Lottie slaat een arm om me heen, want ik moet huilen. Om Stoffel. Hij is de leukste, beste, aardigste, knapste, liefste jongen op aarde en hij is weg. Wegger dan weg. Ik snap opeens dat mensen hun moeder nooit meer willen zien. Dat ze haar in een bejaardentehuis stoppen. Waarom doet ze mij dit aan? Geen enkele moeder doet zoiets, alleen de mijne.

'Maar ze weet niet dat je iets voor hem voelt,' zegt Lottie.

'Nou en. Wat maakt dat nou uit? Ze moet gewoon van hem afblijven. Wie doet nou zoiets?'

Ik zit op een kruk, naast Ron.

'Ik ben een lul,' zegt Ron.

'Vind ik niet,' zeg ik.

'Ik ben een lul,' zegt Ron. 'Wen d'r maar aan.'

'Ik vind jou geen lul,' zeg ik.

'Het is beter om dat wel te vinden.'

'Je hebt gewoon mensen nodig die van je houden, dan komt alles goed.'

Stilte. Half glas whisky in een teug naar binnen. Glas met klap op bar. Ogen, met walging erin. Walging? Klopt niet, er hoort liefde in. 'Je bent vijftien, wat weet jij er nou van? Je moet dat soort dingen niet zeggen. Het is bullshit. Denk je dat je me kunt redden, of zo?'

'Maar ik ben... je dochter.'

Weer stilte. Schouderophalen. 'Je bent de dochter van een lul.'

'Wat heb je voor erge dingen gedaan? Bij Yvonne, bedoel ik.'

'Ik weet het niet. En als ik het wel weet, zeg ik het niet.'

'Misschien geloof ik dan eindelijk dat je een lul bent.'

'Je moet zelf weten wat je gelooft.'

Ron geeft me een briefje van tien voor de taxi en omhelst me. Harry ook, zonder briefje. Waar komt die Harry eigenlijk vandaan? Opeens is hij aangehaakt, ongeveer in het derde café. De maat van het begin van de avond is dan allang weg. Die moet de volgende dag werken.

We moeten ons geld laten zien voordat we mogen instappen.

De taxi stopt voor mijn huis. 'Eerste stop voor de... dames.' Dat is de chauffeur. Ik zie hem aldoor blikken op ons werpen, over zijn schouder en via de achteruitkijkspiegel.

En nu dus hier, in bed. Lag Lottie niet naast me? Nee, ze was naar huis gegaan, nog verder met de taxi.

Liggen blijven. Ogen dicht. Opstaan lukte toch niet, het was een kwestie van wachten tot het zeezieke deinen wat wegtrok.

Dat ene gesprek met Ron was niet zo leuk, maar verder hadden we alleen maar lol. Om de gekste dingen. Wie heeft er zóveel lol met zijn vader? Niemand toch? Waarom voelde ik me dan toch zo kloterig bij de gedachte aan hem? Nou ja, het was niet zo moeilijk om te bedenken waarom.

Van taxi naar voordeur, kleine stapjes.

Recht lopen, niet wankelen. O shit, stel je voor dat Yvonne er is. Natuurlijk is die er. Ze wordt hysterisch. Eerst even kotsen in de bosjes, vinger in de keel. Dan is de laatste drank eruit, en heeft ze het misschien niet door. Jemig, wat voelt het kut, die vinger. Getverderrie. Doorzetten. Ze mag het niet weten. O jee, als ze ontdekt dat het met Ron was, dan... dan... Maar het hele klereplan ís al mislukt, wat maakt het nog uit, verdomme. Ik ben vijftien, ze kan me toch niet tegenhouden; als ik met hem om wil gaan, ga ik met hem om om omdomme-nogaantoe. Het lukt niet. Au, au, wat voelt dat kut. Het doet pijn binnenin. Dieper, dieper, nog een stukje doorduwen. Had ik tegen Jurg moeten zeggen, haha, ho, nee, is niet grappig.

Ontdekking: lachen en kotsen tegelijk lukt niet. Als je kotst, is er niks meer te lachen. Wie me niet gelooft, mag het proberen.

Toen ik in De Balk eenmaal had besloten om met Ron mee te doen, kon ik een beetje ontspannen. Nou ja, na drie bier dan. Ik kon hem niet redden, ik zag dat opeens heel duidelijk. Mezelf kon ik ook niet redden. Het Grote Alomvattende Reddingsplan was mislukt.

Stoffel was verliefd op mijn moeder en ik kon er niets aan doen.

Ze kregen iets met elkaar en ik kon er niets aan doen.

Lies had genoeg van Ron, straks had hij geen huis meer en ik kon er niets aan doen.

Mijn vader was aan de drank en ik kon er niets aan doen.

Niets, niets, niets.

If you can't beat them, join them, is dat geen bekende uitspraak?

Ik moest de hele misselijkmakende meute maar *joinen*, want *beaten* lukte niet. Als de zaak dan toch verloren was, kon ik maar beter zorgen dat ik een leuke avond had. Morgen zouden we wel weer verder zien.

Het was allemaal de schuld van dat stomme doodskoppen-festival. Waren we er maar nooit heen gegaan. Gebroken snaren, pff, alsof dat alles was wat ze kapotmaakten.

Had Lies dan toch gelijk gehad?

Het lukt. Ik krijg de sleutel in het slot. Deur open. Snel en stil naar boven. Dan heeft ze niks door. Ik lig de hele tijd al in bed, hoor! Bewijs maar eens van niet.

Ik hoor mijn naam roepen, vanuit de woonkamer. Shit. Ik ben aan het slaapwandelen, echt waar. Voorzichtig naar de deur van de hal, opendoen, hoofd om hoek, maar niet in de richting van de woonkamer kijken. 'De kip heeft geen vaderkoek,' roep ik. Iets onzinnigers kan ik niet bedenken. Nu gelooft ze wel dat ik slaap.

'Kom hier, Kiek.'

'Za! Za! Zorium!' roep ik hard. Ha, daar heeft ze niet van terug. Ik steek mijn armen vooruit en loop met ogen dicht in

de richting van de kamer. Ik bonk ergens tegenaan. 'Au.'
Open mijn ogen. 'Waar ben ik? Hè? Hoe kom ik hier?'

Daar zit mijn moeder, op de bank. Getverdemme-nog-aan-
toe, naast haar zit Stoffel. Ze kijken me aan, maar ik kan
hun gezichten niet peilen. 'Wat doen jullie hier?' vraag ik.
'Nee nee, laat maar, niet zeggen.' Misschien waren ze wel
aan het zoenen geweest. Op onze bank. Bah.

'Heb je gedronken?' vraagt ze.

'Nee... een beetje. Een paar. Gewoon.'

'Was je met Ron?'

'Natuurlijk niet. Ik was met Lottie.'

'Je hebt gedronken en je was met Ron.'

'Niet.'

'Ik ben gebeld door Lies. Ze was ongerust.'

Shit.

'Ze vertelde me dat Ron verdwenen is. En dat jij hem wilde
zoeken.'

Ontkennen, ontkennen, ontkennen. 'Ja, maar ik vond hem
neus niet. Heus, bedoel ik. Heus vond ik hem niet.'

'Ga eens zitten.' Ze klopt naast zich op de bank.

Ik ga zitten.

'Kijk me eens aan.'

Ik kijk haar aan. Haar ogen zijn rood, haar neus ook. 'Hééé,
jij hebt ook gedronken,' zeg ik. Ik steek mijn wijsvinger uit
tot vlak voor haar neus en beweeg hem heen en terug. 'Ga
dan jij míj de les lezen.'

Hm, er klopt iets niet met de volgorde van die woorden.

'Ze heeft gehuild,' zegt Stoffel.

'Niet waar. Je liegt.' Tuurlijk liegt hij, dat staat vast. Mijn
moeder doet niet aan huilen. Hooguit een keer een snifje hier,
een vochtigheidje daar, maar echt huilen, dat bestaat niet.

'Ik heb al sinds je met hem omgaat zo'n afschuwelijk onrustig gevoel,' zegt ze. 'Dat het helemaal misgaat.'

Lies zei dat ook al. Waarom is niemand blij voor ons?

'Wat moet er misgaan?' vraag ik.

'Jij kent hem niet zoals ik hem ken.'

'Hij heeft alleen maar wat liefde en zo nodig. Als jij niet zo geméén zou doen... ja, zo verschrikkelijk gemeen...'

'Dan wát?'

'Dan kwam alles goed. Je moet hem gewoon leren kennen.'

'Ik ken hem al. Ik ken hem goed genoeg.'

'Maar hij is mijn vader, verdomme! Jij snapt er niks van. Jij liegt je een ongeluk over hem en... en je bent gewoon ontzettend gemeen. Soms haat ik je echt!'

Ik zie mijn moeder naar adem happen. Ze probeert iets te zeggen. Het lukt niet. Er komt geen geluid uit haar, wel iets wat andere mensen waarschijnlijk tranen zouden noemen. Ik niet, want die dingen heeft mijn moeder niet. Ze staat op. Ze loopt weg. Ze doet de deur dicht. Zonder te gooien.

Heel raar, maar ik voelde me ter plekke nuchter worden. Hoe kon dat? Als de alcohol in je bloed zit, gaat die er toch niet zomaar uit, alleen maar omdat je moeder debiel doet?

Ik zat een tijd stil, niet wetend wat te doen of te denken. 'Ik ga maar naar bed,' zei ik toen.

'Wacht even,' zei Stoffel.

'Waarop?'

'Ik weet wel, ik kom net kijken in jullie leven, ik weet alleen maar wat Yvonne me –'

'Nou, lekker houwe-zo.'

Het was een paar seconden stil.

'Kiek, ben je boos op mij? Vertel het alsjeblieft, als het zo is.'
Ik schokte mijn schouders even omhoog. Dat leek me antwoord genoeg. Als ik ergens geen zin had om over te praten was dát het. Aandacht afleiden. 'Je maakt mijn moeder aan het huilen. Ze huilt nóóit, jij zit naast haar en hup, meteen huilt ze.'
'Misschien is dat juist goed.'
'Goed? Als je huilt, voel je je rot. Zij voelt zich dus rot bij jou.'
'Je kunt je ook rot voelen zonder te huilen. Misschien nog wel rotter.'
'O.'
Er viel weer een stilte. Ik wilde weg, ik wilde niet weg. Ik wilde iets zeggen, ik wist niet wat.
Hij wist wel iets te zeggen. Nou ja, half. 'Dat... gedoe laatst, bij de Koekjesfabriek, dat...' Hij hield weer op.
'O, dát.' Ha, dat kwam er bijna net zo nonchalant uit als ik wilde. Misschien was dat een voordeel van de drank. Mijn spieren verkrampten niet zo. 'Dat was dus niet helemaal de bedoeling.'
'Maar sindsdien is het zo ongemakkelijk tussen ons.'
'Wist ik veel dat je iets met háár wilde.'
'Ik dacht dat het overduidelijk was.'
'Je kent haar niet. En ze is veel te oud.'
'Ze is maar een paar jaar ouder.'
'Acht. Acht. Acht.' Ik zei het en schreef het cijfer in de lucht. Ik had zin om 'acht' te blijven zeggen en in de lucht te schrijven totdat de reusachtigheid van het getal tot hem door zou dringen, maar hij onderbrak me.
'Ik ben een beetje... bang voor je.'
Hè? Wat zullen we nu beleven?

'Als je écht wilt, kun je het verpesten. Tussen mij en Yvonne, bedoel ik.'

'O? Hoe dan?'

'Manieren genoeg. Ik hoop alleen dat je het niet doet.'

'Ik zou niet weten hoe.' Dat was natuurlijk niet helemaal waar. Vlak daarvoor was ik nog een meesterplan aan het uitvoeren dat als belangrijk gevolg zou hebben dat hij en Yvonne geen stelletje zouden worden.

'Als ze moest kiezen, om wat voor reden dan ook, zou Yvonne voor jou kiezen, dat weet je toch wel?'

Ik zweeg en keek strak voor me uit. Het was een absurd idee. Hoe kwam hij erbij? Mijn moeder gedroeg zich altijd anti-mij. Tegen. Contra. En toch had hij ook wel gelijk, heel diep in de verste uithoek van mijn hart wist ik dat hij gelijk had. Mijn moeder was lastig, belachelijk streng, hysterisch, stronteigenwijs, overdreven bezorgd en nog veel meer, maar ze was wel vóór mij, als het erop aankwam. Pro-mij. Altijd.

'Altijd,' zei hij, alsof hij mijn laatste gedachte herhaalde. 'Ook al is ze misschien... hoop ik... een beetje verliefd op mij. Jij gaat voor.'

'Is ze verliefd op jou?'

'Ik hoop het. Het begint erop te lijken, een beetje. Yvonne is niet gemakkelijk te veroveren.'

'En dan ben je ook nog muzikant. Bassist zelfs.'

'Dat werkt niet echt in mijn voordeel, nee.'

'Heeft zij weer. Vindt ze eindelijk weer eens iemand leuk, is hij bassist.'

'Nou ja, ze begint al bijna te geloven dat muzikanten ook mensen zijn.'

Ik gaf hem een klein glimlachje, nou ja, hooguit gingen mijn mondhoeken een millimeter omhoog, hij moest niet denken dat alles nu zomaar goed was. Het was op zijn best minder slecht.

'Vriendjes?' vroeg hij.

Ik haalde mijn schouders op.

'Ik wil het echt heel graag.'

Het leek zo simpel om 'ja' te zeggen. Maar ja-zeggen had enorme gevolgen. Het plan was dan voorgoed van de baan. Dan wás Stoffel er. Dan vond ik het goed dat hij er was en zat ik met hem opgescheept. En dan kon ik 'Ron en Yvon' voorgoed vergeten. Die kon ik natuurlijk sowieso wel vergeten, als gezellig ouderstelletje. Maar toch. Ik had geen zin om het goed te vinden. Niet 100%.

'Een beetje,' zei ik. '20%.'

'Iets meer.'

'Goed. Dertig.'

'Veertig?'

'35%. Meer krijg je niet.'

'Tjonge, je bent al net zo moeilijk als je moeder.' Hij lachte leuk naar me. 'Oké, die andere procenten komen hopelijk nog wel.'

Hij bleef maar leuk naar me lachen en ik probeerde niet te zien hoe knap hij was. Hij moest ontknappen en ontleuken en 'de vriend van mijn moeder' worden.

Ik glimlachte een beetje terug terwijl ik hem vanuit mijn ooghoeken aankeek. Een minibeetje. Dat kon wel. Als hij maar niet dacht dat alles goed was, dan was het goed.

Ik was ondertussen behoorlijk misselijk geworden. En draaierig. De drank was toch nog niet uitgewerkt. Ik kon wel normaal denken, maar voor de rest ging het niet zo goed.

'Ik ga zo weg,' zei Stoffel. 'Even Yvonne gedag zeggen.' Hij sprong op en liep de kamer uit. Ik hoorde hem de trap op gaan.

Het duurde gelukkig niet heel lang, dat gedag zeggen. Trap af, voordeur, weg.

Toen was het stil. Misschien maar even gaan zeggen dat ik haar niet haatte. De rest was wel waar, maar dat natuurlijk niet. Ik ging de trap op, half kruipend, want de vermoeidheid had ineens toegeslagen. Ik kon beter naar bed gaan. Een gesprek met mijn moeder, dat was veel te uitputtend nu. Morgen weer op, fris als een aardbeientoetje, dan zouden we wel verder zien.

'Ik haat je niet, mam,' zei ik bij haar deur. 'Ik ben gewoon moe, ik moet slapen.'

Het duurde ongeveer een uur, toen kwam er een 'welterusten'.

Eindelijk lukte het om mijn ogen te openen. Het licht was hard, maar wel te verdragen, nu.

Maandagochtend. Goddank nog steeds vakantie. Voor míj dan. Mijn moeder was natuurlijk allang naar haar werk. Ze had maar heel kort kunnen slapen, een paar uurtjes.

11.49 uur.

Dit was de tijd dat Ron meestal wakker werd. Waar zou hij zijn? Hij zei gisternacht dat hij 'dan maar' bij Harry ging pitten. Hij had eerst met ons mee gewild, zodat hij naar Doodschaap door kon rijden nadat de taxi ons had afgezet, maar ik zei dat dat een kapitaal kostte, wat hij helemaal niet had. Hij zei van wel en toen hij geen briefjes meer kon vinden, begon hij muntgeld uit zijn zakken op te diepen. Hij probeerde het te tellen, maar alles viel op de grond.

Hij had geen telefoon meer. Ik kon er niet achter komen wat

er precies mee was gebeurd. Hij mompelde iets over 'de plomp'.

Hoe kon ik hem redden als ik hem niet eens kon bellen? Ik kon toch niet elke avond naar hem op zoek gaan? Hij kon mij ook niet meer bereiken. Mijn nummer had hij natuurlijk alleen maar in zijn telefoon gehad. Misschien had hij het thuis ook nog ergens. Maar misschien had hij geen thuis meer.

Ik deed mijn ogen maar weer dicht. Het was toch wat heftig, al dat licht in één keer. De problemen moesten wachten, ik kon ze nu niet oplossen. Eerst nog even liggen.

Ik werd wakker. Blijkbaar was ik weer in slaap gevallen, niks van gemerkt.

Hé, ik voelde me beter dan net. Lichamelijk in elk geval. Jemig, het was al 14.05 uur. Ik kon helder denken. Mooi, want het was hoog tijd voor een heldere gedachte. *Ik ga alles beter doen met mijn leven, te beginnen met vandaag.* Ja, dat was een goede gedachte om de nieuwe dag mee te starten. Ook al was hij half voorbij.

Hm, voordat ik écht met 'alles beter doen' kon beginnen, moest ik Ron weer rechtop zien te krijgen. Ik moest zorgen dat Lies weer voor hem wilde zorgen en dan kwam alles goed. Ja, en dan meteen even regelen dat ze me aardig ging vinden, en ik háár. Dan kon iedereen met iedereen vrienden worden, Ron, Yvonne, Lies en Stoffel. Met mij als stralend middelpunt.

Die laatste gedachte schudde ik weg. Het ging niet om mij.

Nou ja, het ging wel om mij. Maar het ging nu even om Ron en dat het weer goed met hem kwam. Mijn moeder deed ne-gatief over hem, maar iedereen had toch wel eens een terugvalletje, ook al deed je je best om het goed te doen? En hij deed écht zijn best. Waarom zag ze dat niet? Ze wilde het gewoon niet zien.

Lottie maar eens bellen. Maar dan moest ik opstaan, mijn telefoon lag beneden. Ik had geen zin om op te staan.

En Lies. Lies moest gebeld. Lies.

Ik móést opstaan, want nu ik eenmaal aan 'Lies bellen' had gedacht, had ik geen rust meer tot ik haar had gebeld en ik wist dat alles goed zou komen.

Wat ging ik tegen haar zeggen? De waarheid, maar dan wat opgepoetst.

Zoiets bijvoorbeeld: ik heb hem gevonden. Het ging inderdaad niet zo goed, hij had wat gedronken, maar hij wilde dolgraag naar huis en weer normaal doen. Het kon alleen niet, het was midden in de nacht en toen móést hij wel bij een of andere onbenul van een Harry blijven slapen. Zijn telefoon is hij kwijtgeraakt toen hij EHBO verleende aan een meisje dat was gevallen met de fiets. Waarschijnlijk heeft een omstander hem gestolen toen hij niet oplette, ja, je hebt echt héél slechte mensen op de wereld. Hoe dan ook, hij wil heel graag thuiskomen en alles goed doen en hij KAN en WIL echt-echt-echt niet zonder jou.

Dit alles vertelde ik Lies, toen ik uit bed was gekomen. Ik zat in mijn T-shirt en onderbroek op de bank. Lies luisterde.

'Nonsens,' zei ze, toen ik klaar was.

Oké, die ambulance en die diefstal had ik verzonnen. Maar er was wel écht een meisje van haar fiets gevallen. Alleen deed Ron niets. Ik denk ook niet dat hij veel van EHBO weet.

En oké, dat hij echt-echt-echt niet zonder Lies KON en WILDE had ik ook verzonnen. Hij had niets over haar gezegd, behalve dat ze zeurde. Maar dat kan juist een teken van liefde zijn. Mijn moeder zeurt ook veel, en toch wil ik haar niet kwijt.

'Kiek, volgens mij denk jij dat ik gek ben, of zo. Waarom lepel je zo'n verhaal op? Je hoeft hem niet te beschermen. Ik ken Ron toch? Het is al vaker gebeurd.'

Gelukkig, schoot door me heen. Dan kwam het niet alléén maar door mij. Hè bah, weg met die gedachte. Daar ging het nu niet om.

'O nou, dat is mooi,' zei ik. 'Dan weet je dus ook dat het weer goed komt.'

'Ik ben in therapie.'

'Hè?'

'Al een tijdje, sinds de vorige keer dat dit gebeurde. Ik begon me toen af te vragen waarom ik altijd weer voor dat soort mensen klaarsta.'

'En waarom is dat dan?'

'Weet ik nog niet. Ik weet wel dat ik ermee moet ophouden. En dat is voor jou natuurlijk ook fijn.'

'Voor mij? Hoezo?'

'Ik ben niet gek. Ik weet dat je mij liever uit de weg hebt. Dat merk ik heus wel.'

'Nee, echt niet, ik...' Er klapte iets dicht in mijn keel. Een anti-leugenluik. Iets in mij had genoeg van de smoesjes en dat deel had blijkbaar opeens stiekem een rolluik gemaakt. Maar hoe moest het dan? Je kon toch niet overal de waarheid gaan rondstrooien? Iedereen zou je haten.

Ze ging verder: 'Vanaf het begin zat ik je in de weg. Toch? Hij veranderde. Hij werd afstandelijker. Alsof hij mij minder nodig had. Hij had het altijd over jou, alsof hij inééns de liefde van zijn leven had gevonden. Maar zijn liefde is niet zo stabiel, hoor, als je dat maar weet. Ik zou er maar niet te veel op bouwen.'

Wat moest ik zeggen? 'Hij is mijn vader. Dat is heel iets anders dan een... verloofde.'

'Hij is dezelfde persoon.'

'Maak je het uit met hem?'

'Ja. Mijn therapeut vindt dat ik voor mezelf moet leren kiezen. Nee, ik bedoel: dat vind ik. Ikzélf.'

'Maar hoe moet het dan met Ron? Waar moet hij dan wonen?' Dit was een ramp. Hij zou in de goot terechtkomen, naar de klote gaan, in de afgrond storten, doodvallen. 'Dat is niet mijn zaak. Hij moet zelf maar eens verantwoordelijkheid leren nemen.'

'Maar je kunt hem toch niet zomaar op straat zetten? Hij...' Ja hoor, daar was hij weer, de natte stroom. Ik geloof niet dat ik ooit zoveel heb gehuild als deze maand. Leuk hoor, vijftien zijn. Het water werd rechtstreeks uit het schuldgevoelmeer opgepompt. Ik had gewild dat ze uit elkaar gingen. Ik had er mijn best voor gedaan. Het kwam door mij als hij naar de klote ging, als hij doodging. Ik haatte mezelf. En Lies erbij. Stomme shitwijven.

Waar het vandaan kwam weet ik niet, maar ik hoorde de volgende zin met huilhorten en snikstoten uit mijn mond komen: 'Maar van God moehoet je toch juist je meeheeheedemensen helpen?'

Het was een poosje stil. Aan háár kant van de verbinding, niet aan die van mij.

'Goed,' zei ze. 'Voor mijn part blijft hij er wonen. Ik doe toch niks met dat huis, voorlopig. Maar verder zoekt hij het maar uit. Stil nou maar.'

Toen we allang hadden opgehangen en ik uitgehuild was, kwamen er vragen in me op.

- Mag Ron wel bij de kerk blijven, liedjes voor ze schrijven en muziekles geven aan de kerkjongeren? Het leek me beter dat hij niet in één klap alles en iedereen kwijtraakte.

- Hield ze niet van hem dat ze het zo gemakkelijk uitmaakte? Was hij dan niet de liefde van haar leven? Als dat niet zo was, waarom was ze dan zo'n lange tijd met hem?

- Waarom ga je in therapie als je God hebt? God lost toch al je problemen op, volgens Lies en dominee Weil?

Dit soort vragen had ik, en nog meer, vragen die ik haar nu niet meer kon stellen. Ik ging haar er niet speciaal voor bellen.

Ik hing de hele dag rond, behoorlijk misselijk.

Het was misschien niet zo'n goed idee geweest, dat meedrinken. Maar wat had ik dan moeten doen, hem alleen laten?

Net als Lies?

Net als waarschijnlijk iedereen in zijn leven?

Je werd heus niet zómaar zoals hij was, verslaafd en zo. Dan was er wel iets aan de hand. Toch?

Mijn moeder kwam thuis. Ze zei dat we vanavond maar eens goed moesten praten. Ik zei dat ik met Lottie had afgesproken.

'Dan zeg je dat maar af.'

'Nee, laten we morgen praten. Ik wil heel graag naar Lottie.'

'Waarom?'

'Ze... Gewoon, er gebeurt zoveel. Ook met haar. Ik... nou ja, ik wil gewoon naar haar toe.'

'Echt naar Lottie, hè? Niet de stad in met Ron.'

'Nee, waarom zou ik?'

Ik had er de hele middag over nagedacht. Ik ging hem weer zoeken en hem vertellen dat hij naar huis kon, dat het mocht van Lies. Ik ging met hem mee. Samen in de bus. Terwijl het nog licht was. En dan met z'n tweeën in Doodschaap achter het huis op het terras zitten, terwijl de schemering viel. Gele akkers. Stilte. Daarna onze liedjes spelen, die van hem voor mij en die van mij voor hem. Hij zou weten dat alles goed kwam. Dat ik er was, ook al was Lies er niet meer.

In Doodschaap kwam hij weer tot rust. Wij konden samen zijn wanneer we wilden.

En dan belde ik mijn moeder om te zeggen dat alles goed was, dat ze zich geen zorgen hoefde te maken, dat ik morgen gewoon weer thuiskwam.

De helft van de tijd ging ik bij Ron wonen, dan was hij niet alleen.

Zo ging het. Zo móést het gaan. Ik zou niet rusten tot het zo was gegaan.

Ik zal meteen maar vertellen dat het niet zo ging.

Het liep anders. Dingen gaan vaak niet zoals je ze bedenkt. Meestal niet, eigenlijk. Waarom is dat toch?

Ik kon hem gemakkelijk vinden. Ik liep gewoon de cafés af waar we vannacht waren geweest. Gelukkig wist ik ze nog, ongeveer. Ze lagen ook niet zo ver uit elkaar.

Hij zat in de Willy Walker, een Engelse pub. Hé, o ja, hier had ik vannacht met de deegmachine gezoend. Hopelijk was die er niet. Nou ja, hij mocht er best zijn en mij van een afstand aanbidden, mij best, ik kwam voor Ron en we zouden toch al snel weggaan, naar de bushalte.

'Wat doe jij hier?' vroeg Ron.

'Ik heb met Lies gebeld.'

'Nou en?'

'Je kunt gewoon naar huis.'

'Waarom niet?'

Het drong nu pas tot me door dat hij en Lies helemaal geen contact hadden gehad sinds zaterdag en dat hij dus nog niet wist dat het uit was. Het bericht dat hij tóch in het huis mocht blijven wonen, klonk daardoor opeens niet meer als geweldig goed nieuws.

Ik negeerde zijn vraag, want ik had geen geschikt antwoord. 'Ik dacht: misschien kunnen we ernaartoe. Muziek maken. Op het terras zitten. Dat soort dingen.'

'Ga naar huis, Kiek.'

'Nee, ik ga niet naar huis. Ik ga met jou mee.'

'Ik blijf hier.'

'Dan blijf ik ook.'

'Ik wil dat je weggaat.'

'Ik ga niet weg.'

'Jij verwacht dingen van mij. Het benauwt me.'

'Wat verwacht ik dan?'

'Dat ik een leuke pappie voor je ben. Vergeet het. Ga weg, ga door met je leven, dat is beter voor iedereen.'

Zo ging het gesprek nog een tijdje door, heel vervelend. Ik ging verderop aan de bar zitten, want naast hem mocht niet. Ron zei tegen de barman dat ik nog maar vijftien was en dat hij dus geen drank aan mij mocht schenken. Alsof ik van plan was om ook maar één druppel te drinken. Het had best gekund, ik voelde me niet ziek meer, maar ik moest het goede voorbeeld geven.

'Wat wil je nou van me?' vroeg Ron na ongeveer een uur. Hij

was naast me komen staan. In de tussentijd had hij al met twee mannen en één vrouw gepraat en met alle drie een glas alcohol gedronken.

'Dat je ophoudt met drinken en weer normaal gaat doen.'

'Dus jij weet wat normaal is?'

'Ik wil dat je niet doodgaat.'

'Ik moet even iemand bellen. Geef me je telefoon 'ns.'

Hij liep met mijn telefoon naar buiten en bleef daar een tijdje staan. Ik hield hem door het raam in de gaten, hij belde echt en ging er niet vandoor. Daar was hij weer. Hij legde mijn telefoon voor me op de bar en liep naar zijn eigen kruk.

Zo bleven we zitten. Hij daar. Ik hier. Beiden vastbesloten.

'Hé Kiekel, ik kom je halen.' Een bekende stem naast me.

Met een ruk draaide ik mijn hoofd opzij. Ja hoor, daar stond Wieger.

'Hè? Wat doe jíj hier? Hoe...'

Ik zag hem een blik met Ron wisselen. Nee hè. Ron had hem in mijn telefoon opgezocht en gebeld. Wat een vuile rotstreek.

Hij wilde echt heel-heel-heel graag van me af.

Waarom?

Waarom wou hij liever zuipen met vage types en halve idioten dan met mij naar zijn huis, muziek maken en op het terras zitten? Was ik zo onbelangrijk? Waarom had hij mij al die tijd dan laten geloven dat ik wél belangrijk was? Was dit die beroemde 'ware aard' waarover mijn moeder niet uitgepraat raakte?

Een gedachte steeg op: *ik wil niet dat ze gelijk krijgt. Ik gun het haar niet, verdomme.*

Ze had geen gelijk, ik zou het bewijzen.

Ik zou het bewijzen, ook al ging ik eraan kapot.

'Ik ga niet mee, ik blijf hier.' Ik pakte de barrand stevig vast, alsof ik verwachtte dat Wieger me zou proberen mee te sleuren.

'Jij gaat mee,' antwoordde hij. 'Je snapt wel dat ik anders Yvonne moet bellen.'

'Ik ben niet bang voor haar.'

'O, jawel hoor. Stel dat ze komt. Wat gebeurt er dan, denk je?'

Mijn greep op de bar verslapte bij de gedachte. Bah. Ik had zin om iedereen in elkaar te slaan, echt waar. Wieger, Ron, de barman en de vier andere mensen die aanwezig waren en naar ons keken. Ik had zin om te schreeuwen. Ik had zin om whiskyglazen op Rons hoofd kapot te slaan. Ik had zin om een scène te trappen die ze allemaal de rest van hun ellendige rotlevens zou heugen.

Niets van dat alles deed ik.

Ik pakte mijn jas en liep weg. Bij de deur draaide ik me om. 'Nu geloof ik wél dat je een lul bent, *pappie*.' Ik zei het zo koud dat de woorden zich als messcherpe ijspegels in Rons lichaam boorden. Dat stelde ik me tenminste voor, ik kon het niet zien, want ik stond al buiten. Laat hem maar mooi doodbloeden, liefst langzaam, met zo veel mogelijk pijn.

Wieger stond compleet fout geparkeerd, op de stoep in een niet-parkeren-zone. Maar natuurlijk had-ie weer geen bekeuring. Die kreeg hij nooit. Hij mazzelde altijd overal doorheen. Opeens irriteerde het me mateloos. Sommige mensen hoefden nergens moeite voor te doen, alles ging vanzelf. Ik had verschrikkelijk veel zin om zijn leven moeilijker te maken, bijvoorbeeld door hard weg te rennen en pas over drie dagen weer op te duiken. Dat zou hem leren ook eens problemen te hebben.

Maar waar moest ik slapen? Onder een brug? Tussen de gebitloze mannetjes in de daklozenopvang? Bij een of andere Harry? Ik zou Wieger en iedereen er mooi mee hebben, maar mezelf ook. En ik voelde me al rot genoeg. Dit soort gedachten had ik terwijl we naar huis reden. Míjn huis bedoel ik, niet ons huis, het was allang niet meer Wiegers huis. Gek, ik was helemaal niet bang voor Yvonne. Dat was nieuw. Goed, ik wilde nog steeds niet dat ze scènes maakte in het openbaar – dat soort dingen deed ze – maar gewoon thuis was ik niet meer bang voor haar. Ze was sterk, maar ik ook. Ik kon haar aan.

Ze zat op de bank, op dezelfde plek als gisternacht, maar nu zonder Stoffel. Ik zag aan haar achterhoofd en schouders die boven de bank uitkwamen dat ze het al wist. Blijkbaar had Wieger haar gebeld.

Het gesprek liep anders dan ik had gedacht. Er was nauwelijks een gesprek. Ik zat in de stoel en Wieger zat naast mijn moeder op de bank.

'Zo,' zei Wieger.

'Ja, zo,' zei ik.

Mijn moeder zei niks, ze staarde naar de grond.

Eén ding had ik besloten: wat er ook gebeurde, ik ging haar geen gelijk geven over Ron. Ze had het niet en ze kreeg het niet en ook al had ze het wel, dan nog zou ze het nooit van me krijgen. Ze moest maar accepteren dat hij mijn vader was. Ik moest ook wel eens dingen accepteren die ik klote vond.

Opeens hief ze haar hoofd op. Ze keek me aan. 'Goed. Ik zal

je vertellen wat hij heeft gedaan, vroeger. Dat wil je toch zo graag weten? Op een keer, ik was al meer dan drie maanden zwanger...'

'Nananananananana.' Ik zong hard en duwde mijn handen op mijn oren, zodat ik niets kon horen. Pas toen mijn moeders lippen niet meer bewogen, haalde ik mijn handen weg. 'Ik hoef het niet te weten,' zei ik. 'Ik weet genoeg.'

'Goed, dan ga ik naar bed,' zei ze tot mijn grote verrassing. 'Ik heb barstende koppijn.'

'Maar we moesten toch praten? Dat zei je vanavond.'

'Ik ben uitgepraat,' antwoordde ze. 'Ik weet niet wat ik nog meer kan zeggen. Je doet toch wat je zelf wilt.' Ze liep de kamer uit, net als gisternacht.

Het ging niet echt lekker, dat was duidelijk. Op zulke momenten ging ik altijd uitrekenen hoe lang het nog duurde voor ik het huis uit kon. Drie jaar ongeveer. Maar misschien kon het eerder, dan ging ik bij Ron wonen en zorgen dat hij... Ach hou toch op, Ron wilde mij helemaal niet in zijn leven. Niet echt. Alleen als het hem even uitkwam.

'Mama kent hem niet.' Ik liep met Wieger mee naar de voordeur. 'Niet zoals ik hem ken.' Ik was vastbesloten om te volharden in die gedachte.

'Je kunt verslaafden niet redden, Kiek. Mensen die dat proberen gaan er zelf aan onderdoor. Laat het los.'

Wieger wilde zeker dat ik Ron in de steek liet. Ja, in de steek laten, dat doen sommige mensen heel gemakkelijk. Maar ik niet.

'Je moet niet te veel van hem verwachten. Je kunt hem niet veranderen.'

'Ik verwacht niks.'

Hij keek me aan alsof hij me niet geloofde.

'Ik verwacht niks!' zei ik nog eens, nu harder.

Hoe legde ik uit dat Ron er tenminste voor me was? Nu dan eventjes niet, maar normaal wel.

Wat was eigenlijk normaal? We hadden geen normaal. We kenden elkaar pas een paar maanden.

Toen Wieger weg was poetste ik mijn tanden. Heel langzaam. Ik ging naar boven. Heel langzaam. Ik had geen reden om alles zo langzaam te doen, behalve dat ik er zin in had. Ik deed het om te pesten. Er was niemand om te pesten, en toch deed ik het. Ik weet dat mensen dat gek zullen vinden, maar dat interesseert me niet. Waarom moest je altijd normaal zijn? Ik deed dingen anders, ik pestte mensen die er niet waren. Ron deed dingen ook anders, die wilde alleen zijn met zijn drank. Nou en? Ik kroop langzaam in bed.

Ik voelde me niet klote. Dat kwam omdat alles gewoon goed was. Er was niets ergs aan de hand. Ron had een terugvalletje, nou en, dat had iedereen wel eens. Kon ik net zo goed even aan wat andere dingen gaan denken, dus.

Ron stuurde me weg, maar dat was helemaal niet erg. Lottie is echt goed gek, met die Sven. Die andere 65%, met wie zal ik die eens doen? Ik ga ze bewaren, die procenten, tot ik een keer iemand vind met wie het echt leuk is. Ik was misschien ook gewoon niet nat genoeg. Dan doet het pijn, dat las ik ergens. Er komt vocht als je opgewonden bent, ik denk dat ik dat gewoon niet was, niet genoeg. Misschien door de spanning. Jurg is hartstikke leuk, maar niet op die manier. Geloof ik tenminste. Jongens hebben ook gevoel volgens hem, nou, dat geldt niet voor sommige. Die komen je leven binnen denderen, maar rennen er even hard weer uit, hoe het ze maar uitkomt. Als je geen gevoel hebt is alles gemakkelijk. Gelukkig heb ik het nu ook niet meer. Afgelopen met dat gehuil, dat zielige gedoe, dat o-o-o-wat-doen-ze-toch-gemeen. Bovendien is Ron niet echt zo. Omdat ik dat wéét, doet het ook geen pijn. Andere mensen zouden misschien teleurgesteld zijn, of boos, maar ik niet. Ik ga gewoon slapen. Alles is goed.

Ik klopte op mijn moeders deur. Ik kon niet slapen en dat was háár schuld. Waarom precies kon me geen bal schelen, maar het had vast te maken met dat altijd weglopen van haar en die eeuwige hoofdpijn. Vond ze iets lastig, kreeg ze hoofdpijn, kon ze mooi weg. Ik was boos. Ik wist niet waarom die boosheid nu opeens kwam opzetten, maar hij was er.

'Ja,' zei ze. Ik liep naar binnen.

Ze lag met haar kleren aan languit op haar bed. Er was niet veel licht, alleen haar leeslampje was aan. 'Wat is er?'

'Ik vind het belachelijk. We zouden praten, maar jij praat niet, je gaat ervandoor.'

Ze schoof wat omhoog en leunde met haar schouders tegen de achterwand. 'Ik weet niet meer wat ik moet doen,' zei ze. 'Voor het eerst weet ik het echt niet meer.'

'Wat niet?'

'Met jou. En hem. Hij deugt niet. Sommige mensen deugen gewoon niet, ook al zijn ze... biologische familie. Ik wil je beschermen, maar het lukt me niet meer.'

'Maar –'

'Je hebt gedronken. Gisteren. Een heleboel zelfs. Ik weet gewoon zeker dat je met hem was. Anders was dat niet gebeurd. Hij heeft een slechte invloed. Hoe moet ik je nou tegen hem beschermen?'

'Ik dronk al lang voor ik hem kende, hoor!' Dat was misschien niet handig om te zeggen, maar ja, ik moest wel. En ik was ook niet meer bang voor haar.

'Wát? Hoe lang dan?'

'Pff. Alsof jij niet dronk, op mijn leeftijd. Doe maar niet zo braafstemeisjevandeklasserig.'

'En dáárom weet ik juist hoe slecht het is. Wat er allemaal kan gebeuren. Ik deed héél véél stomme dingen. Daar wil ik jou voor behoeden.'

'Jij hebt het toch overleefd, allemaal?'

Ze gaf geen antwoord. 'Kom eens hier.' Ze klopte met haar hand naast zich.

Ik liep naar haar toe en ging bij haar zitten.

Ze streek met haar hand langs mijn haar. 'Je bent zo mooi,' zei ze.

Wat kregen we nu? Dat deed ze nooit. Ik wilde niet dat ze het deed. Ik was boos op haar. Toch bewoog ik niet. Ergens voelde het ook fijn.

'Ik wil je zo houden. Geen Ron. Geen drank, jongens, mannen, seks, pijn, verdriet, toestanden.' Ze haalde diep adem. 'Stoffel zegt steeds dat dat allemaal bij het leven hoort en dat ik toch niet kan voorkomen dat je dingen meemaakt, en dat ik je wat meer los moet laten.'

'Dat is ook zo,' zei ik.

'Ik doe mijn best. Ik zou het kunnen, misschien. Maar met Ron erbij... Hij heeft er een handje van om zichzelf en alles om hem heen kapot te maken. Daarom wil ik niet dat jíj om hem heen bent, snap je?'

'Je bent gewoon koppig. Als je hem een keer zou willen ontmoeten, dan –'

'Oké.'

'Hè? Oké?'

'Ja. Op één voorwaarde. Dat jij belooft dat je me altijd de waarheid vertelt over hem.'

'Wat voor waarheid?'

'Dat je hem niet beschermt, bedoel ik. Gisteravond bijvoorbeeld. Was je met hem of niet?'

'Ja.'

'En dronk hij of niet?'

'Ja.'

'En gaf hij jou drank of niet?'

'Eh, nou, wij kregen van alles, van allerlei types, Harry en Piet en –'

'Uh-uh.' Ze legde haar wijsvinger zacht tegen mijn mond. 'Kreeg je drank van hem?'

'Ja.'

Waarom deed ik dit? Waarom zei ik zomaar de échte waarheid, in plaats van een zelfgemaakte? De echte waarheid werd altijd tegen me gebruikt. *Surviven* kon alleen met smoesjes, sprokkelstukjes waarheden en soms recht-toe-recht-aan-leugens.

Toch moest het.

Nu krabbelde ze natuurlijk terug. Echt iets voor haar. En dan vond ze ook nog dat ze in haar recht stond. *Er zijn belangrijker dingen dan je woord houden, zoals je dochter tegen haar verslaafde zaadgever beschermen*, ik hoorde het haar al bijna zeggen. Maar dat zei ze niet. Ze zei 'godallejezus' terwijl ze nooit vloekte. Ze ging verder: 'Oké. Luister. Toen ik al meer dan drie maanden zwanger was, van jóú, heeft hij me –'

Ik hoorde het verder niet, want ik had mijn oren weer dicht en zong het nanana-liedje. Toen haar lippen weer stilstonden, haalde ik mijn handen van mijn oren.

'Je idealiseert hem,' zei ze. 'Daar moet je mee ophouden. Hij heeft ook slechte kanten, maar die wil jij niet zien.'

'En jij doet alsof hij een monster is.'

Die rottige tranen stonden weer eens te prikken in mijn neus en achter mijn ogen. Weg ermee, weg. Waarom werd ze niet gewoon boos, voor mijn part hysterisch? Dat was ik gewend. Mijn moeder gedroeg zich ineens als een redelijk persoon met wie je een redelijk gesprek kon voeren. *Waarom in vredesnaam? Hou daarmee op.*

'Ik wil hem niet kwijt,' zei ik, terwijl ik mijn onderlip gevaarlijk voelde trillen. Ik ging echt niet janken waar zij bij was, dat gunde ik haar niet. Ik moest sterk zijn, anders werd ik verzwolgen, zo was het altijd geweest. Ik haalde mijn neus flink op, omdat hij dreigde te gaan druipen. 'Ik weet wat. Zeg jij eens iets aardigs over hem, dan zeg ik iets stoms. Eerlijk ruilen.'

'Goed. Hij heeft zich vanavond verantwoordelijk gedragen, door Wieger te bellen en mij een berichtje te sturen.'

'Hè? Heeft hij jou –'

'Ja. Nu moet jij iets onaardigs over hem zeggen.'

'Hij wilde me weg hebben, dáárom belde hij Wieger. Ik zat hem in de weg. Hij geeft meer om de drank dan om mij.'

'Zo gaat dat met verslaafden. Maar ik denk ook dat hij niet wil dat jij dronken in cafés rondhangt en alcoholist wordt. Volgens mij belde hij vooral daarom. En dat is het láátste aardige ding dat ik over hem zeg.'

Zou hij het echt daarom hebben gedaan? Dat was geen moment in me opgekomen. Die avond daarvoor had hij er geen problemen mee. Maar misschien had hij erover nagedacht.

'Dus... je wilt hem ontmoeten,' zei ik.

255

'Ja. Dat is beter. Dan kan ik jullie tenminste in de gaten houden.'

'Waarom deed je dat dan niet eerder?'

'Ik weet niet. Het was alsof ik jullie contact dan goedkeurde. Maar sommige dingen heb je niet in de hand, of je ze nu goedkeurt of niet.'

Daar wist ik alles van, van sommige dingen niet in de hand hebben of je ze nu goedkeurt of niet.

Ze glimlachte naar me. Ze duwde mijn haar achter mijn oor. Ze keek me aan. Ik kreeg een rare aanval van zin om tegen haar aan te liggen. 'Kom eens hier,' zei ze. Kon ze mijn gedachten soms lezen? Ze hield haar arm naar me open. Ik ging erin liggen. Het was fijn en heel onwennig. Dit soort dingen deden wij niet. Andere mensen deden dat, wij niet.

'Beloof je me dat je oppast met die man?'

'Mijn vader,' zei ik, met mijn mond tegen haar schouder.

'Niet "die man".'

'Oké, beloof je dat je oppast met je... pff, ik krijg het mijn strot niet uit, hoor. Wieger is honderd keer meer je vader.'

'Ik heb twee halve,' zei ik. 'Maar twee halve maken niet één hele. Ik had liever één hele.'

'Ik heb één hele, maar dat is ook niet alles, hoor.'

Ik kon me niet herinneren dat ik ooit zo met mijn moeder had gelegen. Misschien als baby, maar daarna niet. Ik voelde me nu ook een beetje een baby'tje worden, lief en zacht. Een beetje maar hoor, niet helemaal, dat kon natuurlijk niet. Maar het was alsof ik me iets herinnerde wat ik me helemaal niet herinnerde. Hoe het was om iemand voor je te laten zorgen.

'Ben je verliefd op hem?' vroeg ik. 'Op Stoffel, bedoel ik.'
Het kon me ineens niet zoveel meer schelen als ze 'ja' zou
zeggen. Ze was relaxter, de laatste tijd. Hij was misschien
wel goed voor haar, al was het niet leuk om dat toe te geven.
'Ik weet niet. Ik denk het wel, ietsje. Ik vind het moeilijk
om... Hm, hoe zal ik het eens zeggen?' Ze was een tijd stil. Ik
wist dat ze nadacht, want ze rolde een haarlok van mij om
haar vinger. Dat deed ze ook vaak bij haar eigen haar, als ze
in gedachten was.
'Ik durf niet zo goed. Ik raak in paniek als ik merk dat ik iets
voor hem voel. Ik ben bang en ik weet niet eens waarvoor.
Stom hè?'
'Ja,' zei ik. 'Heel stom.' Dat meende ik. Had je zo'n geweldig
iemand als Stoffel en dan ging je een potje bang lopen zijn.
'Maar vroeger dan, met Wieger, was je toen niet bang?'
'Nee,' zei ze. 'Dat was anders.'
'Hoe dan?'
De schouder waar ik tegenaan lag schokte, waaruit ik kon
opmaken dat ze hem ophaalde. 'Het was gewoon anders.'
'Hield je dan niet van hem?'
'Zeker wel. Maar toch was het anders.'
'Lekker duidelijk weer.'
'Ik vind het zelf ook niet zo duidelijk.'
We bleven liggen, in de stilte. Het was een fijne stilte, met de
nacht als een deken om ons heen geslagen en de leeslamp als
een knus denklichtje boven ons.
Het zazazorium. Mijn gedachten gingen daar weer naartoe.
Ik had nog 65% onbesekstheid over. Ik vond het niet erg dat
die eerste 35% met Jurg was geweest. Jurg was oké. Maar
het klopte niet. Ik was niet verliefd, niet echt. Ik wilde niet,
niet echt. Waarom had ik het dan toch gedaan, of gepro-

beerd? Seks was toch geen 'ding' dat je gewoon even kon doen als het zo uitkwam? Misschien ook wel, voor sommige mensen, maar ík wilde niet dat het zo was. Ik wilde het anders. Ik wist niet hoe, maar wel anders.

Zelfs mijn moeder pakte het beter aan dan ik, zo leek het. Met de liefde, bedoel ik. Ook al had zij er volgens mij ook niet veel verstand van.

Ik ging er niet met haar over praten. We moesten het allebei zelf maar uitzoeken. Maar het was wel fijn om zo te liggen. Zonder gesprekken over liefde en seks, alleen maar liggen.

Ik moest een beetje huilen. Ik weet niet waarom. Geen gesnik of gewèh of gewáh, gewoon, één of twee tranen, rustig wandelend over mijn wang.

'Ik ga alles beter doen,' fluisterde ik tegen haar schouder. 'Alles.'

'Ik ook,' zei ze. 'Van nu af aan wordt alles helemaal perfect.'

Ik tilde mijn hoofd op, om haar gezicht te zien. Ze lachte stralend naar me, alsof ze het leukste grapje ooit had gemaakt.

'Ja, vast,' zei ik, met een knor erachteraan om aan te geven dat ik heus wel beter wist.

The end. Het is geen perfect happy end, maar happy genoeg, toch? Het is moeilijk om een goed moment te vinden om op te houden met het verhaal, want alles gaat gewoon door in het echt. In het echt is er geen end. Nou ja, als je doodgaat, maar dat ben ik nog lang niet van plan. Sowieso probeer ik wat minder plannen te hebben. Ze lopen vaak slecht af.

Er bestaat een uitdrukking die ongeveer zo gaat: je moet veranderen wat je kúnt veranderen en accepteren wat je níét kunt veranderen. En daarbij moet je ook nog zo slim zijn om het verschil tussen die twee te weten.

Nou, dat is best leuk gezegd, maar toch zijn de bedenkers van die uitdrukking wat belangrijks vergeten. Sommige dingen kun je namelijk wel veranderen, met allerlei slimme plannen bijvoorbeeld, maar dan blijkt het resultaat helemaal niet zo leuk te zijn. Soms moet je besluiten om dingen die je wel kúnt veranderen toch maar níét te veranderen. Anders gezegd: soms is het beter om je ergens niet mee te bemoeien, ook al lijkt het een goed idee om dat wel te doen. Ik weet nog niet precies wanneer wel en wanneer niet.

Ik hoorde niets meer van Ron. Ik was er kapot van, ook al probeerde ik heel hard om dat niet te zijn en vooral om het te verbergen voor mijn moeder. Eén week lukte dat, daarna niet meer. Natuurlijk begon ze te grauwen en te grommen, o ja, hij zou me pijn doen, zie je wel, dat had ze toch al voorspeld? Dat was nu eenmaal zijn specialiteit. Ik vond het flauw dat ze het er zo inwreef, maar ja, ze is nu eenmaal nogal kinderachtig soms.

Ik belde Lies. Ik zei dat het me speet.
'Wat?' vroeg ze.
'Ik weet het niet precies,' antwoordde ik. 'Maar ik voel me... ik heb van alles fout gedaan.'
'Ach, dat valt best mee. Je bent vijftien. Als je vijftien bent, hóór je van alles fout te doen.'
'Vind jij dat het door mij komt, dat hij weer drinkt?'
Het was even stil. 'Nee,' zei ze toen, op besliste toon. 'Hij doet het zelf. Het is de verslaving, de duivel, hoe je het ook noemt. Niet jij. Zoveel macht heb jij niet. Niemand niet.'

We kregen best een leuk gesprek. Ze viel eigenlijk wel mee. Hoe dan ook voelde ik me beter, erna.

Ik zie Jurg weer. Nu gewoon als vrienden, dat gaat heel goed. Hij heeft iets opbloeiends met een meisje dat Gwen heet, dat kan ik niet goed uitstaan, maar ik bemoei me er niet mee. Goed hè? Ik leer het al. Het is ook niet zo dat ik nog iets met hem wil, hij mag alleen niet iemand anders willen. Hij moet eeuwig naar mij blijven smachten, en onze 35% seks eren bij een speciaal daarvoor ingericht Kiek-altaar. Maar zo gaat het dus niet in het echt. In het echt gaan mensen door met hun leven. Gelukkig maar, anders was het ook wel een beetje *creepy*. Ik bedoel ook niet dat ik dat écht allemaal wil, er is gewoon íéts in mij wat het wil. Ergens.

Lottie heeft het uitgemaakt met Rikzo. Ze heeft niet tegen hem gezegd waarom. Dat durfde ze niet.

Mijn moeder is dan wel anti-liefdesromannetjes, maar haar eigen leven begint er behoorlijk op te lijken. Afgezien van haar leeftijd dan. Dat zei ik een keer tegen haar. Ze proestte haar thee uit haar mond. Ze begon alle dingen op te sommen die anders waren. In die boekjes was de man rijk en nam hij zijn droomvrouw in zijn glimmende sportauto mee naar dure restaurants. Stoffel en zij aten patat in de snackbar als ze uitgingen – op de fiets – of een pizza. Stof had niet eens een huis, alleen één kamer, volgepropt met instrumenten. In die boekjes rook iedereen altijd bedwelmend fris, en niemand woonde in een studentenhuis waar de wc al drie maanden niet was schoongemaakt. Zo'n liefdesromannetjesman haalde geen slijmdotten haar uit douche-afvoerputjes, en gooide ook nooit emmers water in de bosjes over de kots van de dronken puberdochter van zijn droomvrouw. Maar terwijl mijn moeder dat opsomde, zag ik dat haar ogen glansden. Dat deden de ogen van de vrouwen in liefdesromannetjes ook altijd. 'Hij heeft jou veroverd, hè?' vroeg ik. 'Hij moet moeite voor je doen. Dat is tóch hetzelfde als in die boekjes.' Na enig protestgemompel moest ze toegeven dat er wel wat in zat, maar dat dat he-le-maal niets met die walgelijke boekjes te maken had.

Dat brengt me op *De kikker*. Sorry Hannelore, als je dit leest, maar dat boek hebben we dus verbrand in Lotties achtertuin. Niet omdat álles wat erin stond totale onzin is, maar omdat je die dingen niet volgens een boekje kunt doen. Dat slaat gewoon nergens op, vinden wij. Kijk maar naar Lottie: ze voerde alles precies uit zoals het er stond, het werkte zelfs, en toch was ze helemaal niet gelukkig met haar prins. Ze wilde de kikker. Hoe kom je daar dan van af? Van de-kikker-willen, bedoel ik. Dat staat nergens in het boek. Het staat in geen enkel boek, omdat niemand daar een antwoord op heeft. Maar daar gaat het juist om. Vinden wij.
Van kikker Sven heeft ze niets meer gehoord, natuurlijk. Ze gaf vorige week toe dat ze ergens toch wel spijt had dat ze het met hem had gedaan. Op dat moment leek het een goed idee, ze voelde zich krachtig en in control. Maar ja, de combinatie van drank en foute, niet-beantwoorde liefde is nu eenmaal niet zo'n goeie. Je gaat al snel dingen voelen en denken die later toch anders blijken te zijn.
Ik hoef niet meer te vertellen dat ik daar ook wel wat ervaring mee heb.

Twee weken en drie dagen duurde het. Toen belde hij. Hij zei dat hij met bellen had willen wachten tot het weer goed met hem ging, anders viel hij mij maar lastig met zijn rottige gedoe.

'Gaat het nu weer goed dan?'

'Nog niet zo.'

'Waar ben je dan?'

'Ik denk erover om... dat ik dan weer een tijdje opgenomen ben.'

'Waar?'

'In een kliniek. Voor verslaafden, en zo.'

'Heb je Lies nog gesproken?'

'Ja. Ik mag daar blijven wonen, dat is tof.'

'Vind je het erg, dat ze... dat het uit is?'

'Natuurlijk. Ja. Nee, eigenlijk niet zo. Wel en niet.'

'Misschien was ze niet je grote liefde.'

'Kiek, ik moet hangen. Ik ga je zien als het weer goed gaat.'

'Waarom dan pas?'

'Ik wil dat zelf, het is beter voor iedereen. En ik heb het ook aan Yvonne beloofd.'

Wat? Ze hadden contact gehad zonder dat ik het wist. Hoe? Wat? Waar? Wanneer?

'Maar ik wil dat niet, ik... ik...'

'Geloof me, ik ben onbetrouwbaar.'

'Dat zegt zíj.'

'Daar heeft ze gelijk in.'

'Beloof me dan dat het heel snel weer goed met je gaat.'

Lange stilte. Ik hoorde een bus op de achtergrond. Hij was niet in Doodschaap, want er rijden geen bussen langs zijn huis. 'Nee, ik beloof niets. Dan kun je ook niet teleurgesteld raken. Dan ga je me misschien niet haten. Of minder.'

'Ik ga je niet haten. Echt niet.'

'Je bent nog maar vijftien.'

Wat had dat ermee te maken? Ik vroeg het, maar ik kreeg geen antwoord. Het was weer een tijd stil.

Eén vraag zat me dwars. Was hij dan niet blij dat ik er was? Was ik niet belangrijker dan drank? Was ik het niet waard om moeite voor te doen? Dat waren drie vragen, maar ze kwamen neer op één: hield hij dan niet van mij?

Ik kreeg het er niet uit.

Het was een te moeilijke vraag.

Voor mij, maar ik denk vooral voor hem.

Hij wist niet wat liefde was, zoiets had hij een keer gezegd. Ik had mij toen verheven gevoeld, boven Lies, boven mijn moeder, boven alle andere vrouwen, want dat niet-weten-wat-liefde-is sloeg natuurlijk op hén, niet op mij. Ik was zijn dochter, dat was anders.

Dat gevoel was nu wel weg.

Het lag niet aan mij of aan die vrouwen, maar aan hém, aan hém, aan hém, dat wist ik heel goed, iedereen had het me inmiddels eindeloos uitgelegd. Met van alles erbij over verslaafd zijn, hoe dat werkt, wat het met iemand doet, hoe machteloos de omgeving is, blablabla, enzovoort.

Ik snapte alles. Waarom dan toch dat raspende gevoel bij mijn hart, alsof er lagen werden afgeschuurd?

'Heb je weer een telefoon?' vroeg ik.

'Ja, van Lies gekregen. Deze.'

'Wat aardig van haar.'

'Ze is heel aardig.'

'Ik heb je nummer dus. Ik kan je bellen.'

'Kiek, ik ga hangen. Zorg goed voor jezelf. Ik zie je zo snel mogelijk.'

'Nee, niet ophangen.'

'Wat wil je dan?'

'Ik wil... ik...'

'Ik ga mijn best doen, Kiek, dat kan ik je beloven. Ik wil... Echt, ik wil je heel graag zien. Maar mijn best is niet altijd goed genoeg.'

'O, maar jawel hoor, voor mij wel, dat is –'

'Dag, Kiek.'

Accepteren. Loslaten. Weten wanneer je je ermee moet bemoeien en wanneer niet.

Zo diep als ik kon haalde ik adem en zei: 'Dag, Ron.'

Ik wil je heel graag zien. Het was beter dan niets. Eigenlijk was het heel wat. Voor hem.

Ik ging op bed liggen en miste hem zo hevig dat mijn borstkas kraakte.

Eigenlijk ging alles nu behoorlijk goed, in mijn leven. Alles, behalve dit.

Nou, dan was dat maar zo. Waarom zou alles per se perfect moeten zijn? Dat was een belachelijke verwachting. Het was niet perfect. Nooit.

Uur later. Er komt een muziekbestand binnen.

Van Ron, zie ik. Ik open het.

Het is 'Voor Kiek'.

Mijn borstkas houdt op te kraken, mijn hart klopt zachtjes verder.

Soms is alles wél perfect. Eventjes.